ST. PAUL'S SCHOOL LIBRARY

WITHDRAWN

110635377

# MONSIEUR

WITHDRAWN

DU MÊME AUTEUR

✩m

La salle de bain, *roman, 1985.*
Monsieur, *roman, 1986.*
L'appareil-photo, *roman, 1988.*
La réticence, *roman, 1991*

JEAN-PHILIPPE TOUSSAINT

# MONSIEUR

✫*m*

ST. PAUL'S SCHOOL LIBRARY
LONSDALE ROAD, SW13 9JT

**LES ÉDITIONS DE MINUIT**

G22 6S3

© 1992 by LES ÉDITIONS DE MINUIT
7, rue Bernard-Palissy, 75006 Paris

En application de la loi du 11 mars 1957, il est interdit de reproduire
intégralement ou partiellement le présent ouvrage sans autorisation de l'éditeur
ou du Centre français du copyright, 6 bis rue Gabriel-Laumain, 75010 Paris.

ISBN 2-7073-1096-4

Le jour où, voici trois ans, Monsieur entra dans ses nouvelles fonctions, on lui attribua un bureau personnel, jusqu'à présent c'était parfait, au seizième étage, tour Léonard-de-Vinci. La pièce était spacieuse, assez haute de plafond. Une grande baie vitrée, en verre bleuté, dominait la ville. La table de travail, située à portée de main de deux armoires métalliques, identiques, comptait six tiroirs, de part et d'autre, et était recouverte d'une plaque épaisse, en verre fumé. Le fauteuil, Monsieur s'en assura négligemment, pivotait.

Les jours qui suivirent, Monsieur passa l'essentiel de ses matinées à mettre de l'ordre dans le bureau. Il vida les armoires, les unes après les

7

autres, renversa les tiroirs sur la moquette. Ensuite, méthodiquement, triant au fur et à mesure les vieux papiers, il commença d'entreposer sur le palier, derrière sa porte, des sacs en plastique remplis de vieux journaux, des piles entières de revues. Les livres de son prédécesseur, il les mit dans des caisses et les remplaça sur les rayonnages par ses propres dossiers.

Peu à peu, il s'installait. Dès le lendemain, il apporta une cafetière électrique, qu'il brancha à l'unique prise de terre de la pièce, sise dans un angle du mur, derrière le porte-manteau, et que, provisoirement, il laissa sur une caisse de vieux livres. Elle faisait du très bon café, sa cafetière, le gardait chaud en permanence. Il en buvait tous les matins une ou deux tasses, ne manquait pas d'en offrir à ses visiteurs.

Très vite, Monsieur se fit assez bien accepter au sein de la société. Bien que demeurant réservé avec ses collègues, il ne négligeait pas, à l'occasion, de se mêler à quelque conversation de couloir où, les yeux baissés, il les écoutait débattre de telle ou telle question. Puis, s'excusant de devoir prendre congé, il tournait les talons et regagnait nonchalamment son bureau, laissant traîner une main derrière lui sur les murs du couloir.

Au cours de la matinée, il arrivait à Monsieur de redescendre au rez-de-chaussée et de s'attarder dans le grand hall de verre. Contournant le bureau des hôtesses d'accueil, il dirigeait ses pas vers la cafétéria, où il achetait un paquet de chips, par exemple, au paprika pourquoi pas, qu'il ouvrait en marchant, tout en continuant à se promener lentement. Il s'arrêtait devant les panneaux syndicaux et, étant assez au fait de l'histoire du mouvement ouvrier, songeur, il lisait les affiches, mangeant une chips de temps à autre. Puis, faisant demi-tour, il retraversait le hall en sens inverse, glanant au passage quelques prospectus destinés au public. Il en lisait quelques-uns, rapidement, et posait les autres sur une banquette, en attendant l'ascenseur.

Deux fois par semaine, une pile d'hebdoma-
daires et de revues spécialisées, économiques et
financières, attendait Monsieur au fond de son
casier. Il les emportait dans son bureau et en
prenait connaissance, les feuilletait tous, anno-
tant certains articles de la pointe fine de son
rötring, en découpant d'autres, qu'il conservait
dans des sacs en plastique.

Au milieu de l'après-midi, ma foi, Monsieur
redescendait à la cafétéria. Il s'asseyait confortablement, les jambes du pantalon relevées, com-
mandait une petite bière. C'étaient des heures
calmes, le rez-de-chaussée était souvent désert.
De sa table, il voyait le grand aquarium, où des
êtres tranquilles allaient et venaient dans l'eau
claire. Il n'y avait pas grand monde, à cette heure,
à la cafétéria. Quelques hôtesses d'accueil, mangeant des cassatas, conversaient en prenant leur
café à une table voisine.

Lorsque, en remontant dans son bureau,

Monsieur se trouvait dans l'ascenseur avec le directeur général, il lui demandait à quel étage il devait se rendre, de manière à pouvoir lui appuyer sur le bouton correspondant. Pendant le trajet, ils regardaient l'un et l'autre les parois de la cabine, à des endroits différents. Monsieur gardait les yeux baissés. Le directeur général, lui, manipulait son porte-clefs. Parfois, ils échangeaient quelques considérations choisies. Le directeur général écoutait Monsieur attentivement, les bras croisés, tout en ayant toujours l'air de se demander qui il pouvait bien être.

Chaque jeudi, Monsieur devait assister à une réunion de travail qui regroupait, autour du directeur général, un grand nombre de responsables de la société. Une note de service punaisée dans le hall de l'étage informait de l'heure de la conférence, le lieu étant immuable, une grande salle rectangulaire dans laquelle une table ovale, en bois laqué, occupait tout l'espace. Devant chaque chaise étaient disposés un buvard et un cendrier. Monsieur s'asseyait à la dix-septième place en partant de la gauche, celle où, par expérience, il avait remarqué que la présence passait le plus inaperçue, à côté de Mme Dubois-Lacour, qui, supervisant une grande partie de ses activités, répondait à la plupart des questions qui lui étaient posées, et, tout au long de la réunion, fumant tranquillement sa cigarette, Monsieur veillait scrupuleusement à rester dans l'axe de son corps, reculant lorsqu'elle reculait, avançant lorsqu'elle se penchait en avant, de manière à n'être jamais trop directement exposé. Lorsque le directeur général prononçait son nom à voix haute, Monsieur avançait la tête, comme surpris, et, s'inclinant pour le saluer, répondait aussitôt d'une manière sèche, précise, technique, professionnelle. Hip, hop. Après quoi, les doigts tremblant légèrement, il se replaçait dans l'ombre de sa voisine. Les réunions, en général, duraient un peu moins d'une heure. Lorsque le directeur général finissait par lever la séance, tout le monde à son tour se levait, remettait son manteau ; des petits groupes se formaient (vous n'avez pas vu mes havanitos, disait Dubois-Lacour, un paquet rouge et or).

Dubois-Lacour, parfois, venait lui apporter des dossiers dans son bureau. Monsieur la faisait asseoir; elle lui tendait les documents et, se croisant les jambes, je vous remercie, lui en résumait certains, attirait son attention sur d'autres, dont elle lui donnait les grandes lignes. Puis, ajoutant quelque dernière précision, elle le laissait seul. Dubois-Lacour, jamais, et il lui en savait gré, n'avait douté du sérieux avec lequel Monsieur travaillait. Vous avez toujours l'air de ne rien foutre, vous, lui disait-elle amicalement à l'occasion, ajoutant, non sans finesse, que c'était là le signe auquel on reconnaissait les vrais grands travailleurs.

Lorsque Monsieur attendait des visiteurs dans son bureau, une secrétaire lui téléphonait pour le prévenir de leur arrivée. Assis à sa table de travail, ou de préférence debout devant la grande baie vitrée, pensif, renouant sa cravate, il les attendait. Ils entraient, Monsieur leur proposait un café. Tournant lentement sa cuillère dans sa tasse, il les invitait à prendre place et les écoutait en regardant ses doigts, s'efforçant toujours de rester conciliant. Aux plus entreprenants d'entre eux, ceux qui n'hésitaient pas à revenir le trouver les tempes légèrement moites pour obtenir de lui, cette fois-ci, des faits précis, des chiffres, du concret, il promettait des tableaux, que sais-je moi, des graphiques. Et, après leur départ, sérieusement, y songeait.

Les gens, tout de même.

Monsieur, un soir par semaine, pratiquait le football en salle, à l'économie, dans un gymnase polyvalent. Dans les vestiaires, il se tenait à l'écart du groupe. Il se changeait en prenant son temps. Il avait un très bel équipement, maillot rouge, bermuda en toile, chaussures de tennis à double semelle. Il arrivait le dernier sur le terrain et commençait à s'échauffer avec les autres, sous les yeux d'une dizaine de jeunes filles en survêtement, qui les observaient de la touche en les commentant. Pendant le match, chaque fois qu'advenait un corner, Monsieur, qui jouait défenseur, remontait le terrain et, se plaçant en

14

embuscade en face des buts adverses, se détendait pour intercepter le ballon de la tête. Allez, grand, retourne à l'arrière, disait l'entraîneur, un ancien miraculé du sport. Monsieur, haussant les épaules, regagnait sa place en petites foulées, tout en gardant un œil sur le terrain.

Monsieur n'aimait pas tellement tout ce qui, de près ou de loin, lui ressemblait. Non. Le soir où il s'est foulé le poignet, par exemple, il lisait le journal en attendant l'autobus, son sac de sport à ses pieds. Un monsieur, à côté de lui, essayait de lui demander quelque chose. Comme Monsieur ne répondait pas, terminant la lecture de son article, le monsieur, souriant prudemment, crut bon de lui répéter sa question. Monsieur baissa le journal et le considéra rêveusement de haut en bas. Le monsieur s'approcha de lui et, brutalement, le bouscula. Déséquilibré, Monsieur heurta de plein fouet l'arête métallique de l'abri-bus.

Monsieur était, à cette époque-là, fiancé.

Oui. Il dut être assez pénible pour sa fiancée de le voir arriver légèrement blessé en début de soirée. Elle alla chercher des glaçons dans la cuisine et, passant la main sur sa tête pour le consoler, lui dit de mettre l'avant-bras dans le seau à glace. Puis, tandis que Monsieur enlevait sa montre, elle s'assit en tailleur sur la moquette et, afin de détendre l'atmosphère qu'il ne faisait rien pour alléger, tenant compte des indications qu'il lui avait données sur le signalement de l'homme, crayonna son portrait-robot, qu'elle punaisa à tout hasard dans l'entrée.

La fiancée de Monsieur, ce soir-là, fit preuve de beaucoup de compréhension à son égard, lui installant un lit de camp dans sa chambre, le soutenant lorsqu'il dut, avec le maximum de délicatesse possible, donner des explications à ses parents. Ceux-ci, les Parrain, que Monsieur avait trouvés plutôt bonhommes lorsqu'il avait fait leur connaissance, se trouvaient pour l'heure penchés sur lui dans l'embrasure de la porte.

16

Assis sur le lit, Monsieur, qui ne voulait pas d'histoires, essayait de justifier sa présence dans leur appartement, parlant lentement, avec persuasion, pour tâcher de les entraîner sur son terrain. Mais c'est à peine s'ils l'écoutaient. Tout ce qu'ils voulaient savoir, parce que cela les intriguait, c'est pourquoi leur fille avait accroché un portrait de leur ami Caradec dans l'entrée.

Le lendemain, aux premières heures du jour, tandis qu'il traversait le couloir sans faire de bruit, Monsieur fit la rencontre de la mère de sa fiancée, en chemise de nuit, le visage tout ensommeillé, qui paraissait presque surprise de se trouver chez elle. Monsieur, pour l'aider à la mieux situer, lui rappela brièvement son nom et la salua les yeux baissés, poliment, en posant son regard sur son ventre, au bas duquel, en transparence, apparaissait un foisonnement matinal de bon aloi. Vous avez bien dormi ? lui demanda-t-elle, une main sur l'épaule, en s'arrangeant pour se retrouver de profil. Monsieur fit non de la tête et lui montra son poignet qui avait gonflé de manière inquiétante à la faveur de la nuit. Elle

17

l'examina à distance et, parlant sans conviction d'hôpital et de radiographie, ajouta en s'éloignant de profil à petits pas glissés que, dans la salle de bain, il devait faire attention à la chasse d'eau (je n'y manquerai pas, dit Monsieur).

Après quelques errements dans l'appartement, dont la disposition des pièces ne laissait de le déconcerter, Monsieur se présenta dans la cuisine, sa toilette achevée, vêtu d'un costume bleu nuit, d'une cravate sombre. Il tira sur le pli de son pantalon et se permit de prendre place. M. Parrain était assis sur une chaise, en maillot de corps, et l'observait du coin de l'œil en fumant une cigarette. La fiancée de Monsieur, aux dernières nouvelles, dormait toujours. Qu'à cela ne tienne, ils décidèrent, sa mère et lui, de commencer le petit déjeuner sans elle. Désireux de se faire apprécier, Monsieur n'hésita pas, malgré l'état de son poignet, à se lever lui-même pour aller se resservir de café.

Mme Parrain était toujours en chemise de

nuit, mais elle avait passé une large petite culotte par-dessous, si bien qu'en transparence Monsieur ne voyait plus que ses seins, dont il se contenta en buvant son café. M. Parrain, lui, écrasant sa cigarette dans une soucoupe, demanda à Monsieur la permission d'examiner son poignet, simple curiosité. Il sortit ses lunettes de son étui, prit le temps de les ajuster et dit à Monsieur de bien vouloir s'accroupir là, sur le carrelage, de manière que son bras reposât librement sur ses cuisses. Lorsque Monsieur fut installé, M. Parrain lui palpa l'os quelques instants, sans conviction, avant de dire d'un air soucieux, retirant ses lunettes, qu'une radiographie était nécessaire car on n'y voyait rien.

Monsieur savait très bien qu'une radiographie était une opération courante, bénigne, et il s'y serait prêté sans trop d'appréhension si, pour la mener à bien, il n'avait dû se rendre à l'hôpital (Monsieur n'aimait pas tellement les hôpitaux). Aussi, se rasseyant, il demanda aux Parrain si, par hasard, il n'y avait pas de médecin dans l'immeuble, un radiologue par exemple. A l'exception du docteur Douvres, au troisième étage, ils répondirent que non, qu'il n'y en avait pas. Monsieur demanda ce qu'ils avaient contre le docteur Douvres, mais Mme Parrain protesta que rien, que c'était un voisin, un voisin rien de plus, dit-elle, je vous assure qu'il n'y a jamais rien eu entre nous.

Pendant que Mme Parrain faisait la vaisselle avec beaucoup de naturel, ne sachant pas quoi faire dans la cuisine (il avait déjà aidé à débarrasser sa tasse), Monsieur se fouilla les poches et en sortit divers papiers, qu'il commença à brûler pensivement au-dessus du cendrier, en demandant à Mme Parrain si le docteur Douvres se déplaçait pour donner des consultations à domicile. Mme Parrain fut quelque peu irritée, peut-être, lui sembla-t-il, de ne pas être en mesure de pouvoir lui répondre. Il n'avait, dit-elle, pour le savoir, qu'à lui téléphoner.

Monsieur n'aimait pas tellement le téléphone.

20

Les mains posées bien à plat sur la table, Monsieur souleva un doigt pour se regarder l'ongle, puis, l'ayant considéré dubitativement, donna une petite claque sur la table et quitta la pièce. Dans le couloir, il demanda la permission de téléphoner à M. Parrain, qui se dirigeait vers la salle de bain, une boîte à outils à la main. Lorsque, son coup de téléphone donné, Monsieur reparut dans la cuisine, sa fiancée était là, en pyjama, qui fumait une cigarette devant une tasse de thé. Vous connaissiez le numéro de téléphone du docteur Douvres, vous ? demanda Mme Parrain. Non, non, dit Monsieur sur le ton de la conversation, pas plus que vous, et il lui expliqua que c'était à son employeur qu'il avait téléphoné, pour ne pas qu'il s'alarmât. Ah, je ne savais pas que vous travailliez, dit Mme Parrain. Et que faites-vous ? dit-elle. Il est directeur commercial, dit sa fiancée. Ma foi, dit Monsieur en se rasseyant. Oui, oui, dit sa fiancée, c'est un des trois ou quatre plus importants responsables commerciaux de Fiat-France.

Ma foi, dit Monsieur.

Et vous avez des prix ? demanda Mme Parrain. Pardon ? dit Monsieur. Vous avez des prix
sur les voitures ? Je ne sais pas, dit Monsieur en
tapotant sur la table. Vous devriez vous rensei-
gner, dit-elle. Oui, si vous voulez, dit Monsieur,
je me renseignerai. Bien, bien. D'autres questions ?

Après quelques minutes d'attente en compagnie de l'assistante du docteur Douvres, Monsieur, qui avait fini par se décider à aller le
consulter, fut introduit dans son cabinet, pièce
vaste aux murs beiges, qui comptait un large
bureau et un lit médical recouvert d'un drap
blanc. Très grand, élégant dans sa blouse blanche, le docteur Douvres était un homme d'une
cinquantaine d'années, mince et distingué, qui,
se levant pour accueillir Monsieur, lui serra la
main et, plutôt que d'aller se rasseoir, commença
à lui parler de choses et d'autres en avançant vers
lui tandis qu'il reculait. Ayant fini par acculer

Monsieur dans un angle du mur, sans cesser de disserter en face de lui, il le toisa discrètement du regard pour évaluer mentalement s'il était, ou pas, plus grand que lui (les gens, tout de même). Puis, il alla s'asseoir. Posant les deux mains à plat sur le bureau, il lui demanda ce qui n'allait pas. Monsieur expliqua. A mesure qu'il expliquait, le docteur Douvres devenait compatissant et lui dit qu'il allait examiner ça tout de suite, si Monsieur voulait bien enlever sa veste. Tout en lui auscultant le poignet avec beaucoup de délicatesse, il lui posa un certain nombre de questions, auxquelles il répondait lui-même du reste, parfois de façon succincte, tantôt de manière beaucoup plus détaillée et, prévenant Monsieur qu'il allait être obligé d'appuyer sur l'os, ce qui risquait de lui faire mal, sur le même ton de désinvolture courtoise, il lui demanda ce qu'il faisait dans la vie. Dans la vie ? dit Monsieur. Nullement découragé par son esquive, le docteur Douvres, relevant la tête avec bienveillance, lui répéta la question, qu'il formula toutefois un peu différemment pour le contraindre à répondre. Monsieur répondit évasivement. Et c'est intéressant ? demanda le docteur Douvres. Oui, je suis assez bien payé, dit Monsieur. Je pense que je gagne plus d'argent que vous, ajouta-t-il. Dès lors, le docteur Douvres ne dit plus rien (c'était peut-être par là que Monsieur aurait dû commencer).

Monsieur, lorsqu'il redescendit chez les Parrain, téléphona à son bureau. Présentant ses hommages à la secrétaire qui lui répondit, il lui demanda de bien vouloir annuler tous ses rendez-vous et faire savoir à Mme Dubois-Lacour qu'il serait absent jusqu'au début de la semaine prochaine. Puis, passant dans la chambre de sa fiancée pour ranger ses affaires, il retourna dans la cuisine avec son sac de sport et son attaché-case. Mme Parrain, pendant qu'il se rasseyait, apprit à son mari que le fiancé de leur fille était ingénieur commercial. Directeur commercial, précisa Monsieur. Oui. Je fais un peu de relations publiques aussi, dit-il, mais c'est pas mon point fort.

Non. Monsieur, se massant délicatement le poignet, dit à sa fiancée qu'il envisageait de mettre à profit ces quelques jours d'arrêt de travail pour se rendre à Cannes. Comme sa fiancée, s'en étonnant, voulut savoir ce qu'il allait faire à Cannes, Monsieur dit qu'il ne savait pas, qu'il verrait bien. D'autres questions ? Non. Parfait. Le voyage se passa bien. Dans le train, Monsieur se trouva dans le même compartiment qu'un Suisse alémanique.

Monsieur, à Cannes, descendit dans le premier hôtel venu, non loin de la gare. Le matin, il allait prendre son petit déjeuner dans un café du centre ville ; il achetait des journaux et jouait aux courses, accumulant des gains modiques, échafaudant de temps en temps le projet de se rendre un jour à Cagnes-sur-Mer, l'hippodrome voisin, pour pouvoir s'enthousiasmer en personne dans les tribunes. Et tout à l'avenant. En fin d'après-midi, par exemple, à l'heure de l'apéritif, il jouait au billard dans l'arrière-salle enfumée d'un café avec un petit vieux taciturne qui, pendant la partie, s'interrompait parfois pour aller manger des canestrelis. Il avait été assez bon au billard, ce petit vieux, dans sa jeunesse, mais il ne pouvait rien contre Monsieur. Non. Néanmoins, ils s'offraient la tournée, commencèrent à sympathiser. Un soir, beau geste, son petit vieux l'invita à dîner.

L'avant-veille de son départ, Monsieur téléphona à un ami, Louis, qui possédait une propriété sur les hauteurs de Vence. Il lui proposa, cet ami, de venir passer quelques jours chez lui et, en fin d'après-midi, vint le chercher à Cannes avec sa Volkswagen.

Dans la voiture, tandis qu'ils remontaient vers Vence sur les routes mouillées, Monsieur, maussade, fouillant la boîte à gants devant lui à la recherche de quelque cigare, raconta à Louis l'expérience de Schrödinger, une expérience idéalisée, où l'on plaçait un chat dans une pièce fermée avec une fiole de cyanure et un atome potentiellement radioactif dans un détecteur, de façon que, si l'atome subissait une désintégration radioactive, le détecteur actionnerait un mécanisme qui briserait la fiole et tuerait le chat (les

26

gens, tout de même). Mais ce n'était pas tout. Non. L'atome en question, ayant en fait une probabilité de cinquante chances sur cent de subir cette désintégration radioactive dans l'heure, la question était celle-ci : soixante minutes plus tard, le chat était-il mort ou vivant ? Il fallait bien qu'il fût l'un ou l'autre, non ? Regarde la route, quand même, dit Monsieur. Or, d'après l'interprétation de Copenhague, poursuivit-il, une fois l'heure passée, le chat était dans les limbes, avec cinquante chances sur cent d'être vivant et autant d'être mort. On pouvait toujours jeter un petit coup d'œil pour se rendre compte, tu me diras, le coup d'œil ne risquant pas de le tuer, ni de lui rendre la vie s'il était mort. Cependant, toujours selon l'interprétation de Copenhague, le simple fait de le regarder altérait de façon radicale la description mathématique de son état, le faisant passer de l'état de limbes à un nouvel état, où il était soit positivement en vie, soit positivement mort, c'était selon.

Tout était selon.

Eh oui. Après le dîner, tard dans la nuit, ils se promenèrent sous un parapluie pour se dégriser un peu, Monsieur et Louis, dans les jardins détrempés de la propriété. Les fines chaussures crottées de boue, ils se guidaient dans le noir à la lampe électrique, précédés par le chien de Louis, un épagneul de l'avis de Monsieur, qui, s'arrêtant parfois pour les attendre, s'ébrouait sous leurs yeux dans le rayon lumineux de la torche.

Monsieur, tôt le lendemain matin, tandis que Louis dormait encore, marcha longuement pieds nus sur la pelouse humide, prit seul le petit déjeuner en regardant au loin. Un hamac, dans le jardin de la propriété, objet de toutes les convoitises, pendait entre un platane et un mimosa mort. Insensiblement, Monsieur se laissa couler dans le hamac, porté par des. brises légères, les jambes croisées, les yeux ouverts, suivant en pensée le rythme des balancements, ne les précédant pas, ne les provoquant pas. Parfois, posant une main derrière lui sur le tronc lisse du platane, il retenait un instant la poussée pour faire cesser le mouvement ; puis, redonnant une impulsion, il relançait le hamac, de gauche à droite, pendant des heures égales.

En fin d'après-midi, ils allèrent, avec Louis, couper du bois dans une petite clairière en contrebas de la maison. Ils scièrent pendant une heure ou deux, puis rentrèrent, laissant les grosses bûches sur place, trop lourdes à porter. Les petites branches, et même les branches moyennes, ils les hissèrent sur leurs épaules et les traînèrent derrière eux. Le chemin du retour, très long, ombragé, montait en pente douce.

Puis vint le temps où Monsieur dut rentrer à Paris.

Le soir, parfois, après le dîner, Monsieur faisait un scrabble dans la cuisine avec les parents de sa fiancée ; il notait lui-même les points sur une feuille divisée en trois colonnes. Les contestations au sujet de l'orthographe de tel ou tel mot n'allaient jamais très loin car Monsieur, en cas de litige, les laissait faire appel au dictionnaire, et si, ce faisant, bifurquant discrètement vers les pages alentour, ils en profitaient pour resquiller, Monsieur, ma foi, passait l'éponge. Peu à peu, les Parrain adoptèrent Monsieur, le trouvant agréable à vivre, toujours prêt à rendre service.

Monsieur, comme Paul Guth, une image du gendre idéal.

Depuis qu'ils avaient rompu, toutefois, sa fiancée et lui, les Parrain éprouvaient peut-être quelques scrupules à continuer de le garder chez eux. Monsieur, à vrai dire, aurait été bien incapable de dire pourquoi sa fiancée et lui avaient rompu. Il avait assez mal suivi l'affaire, en fait, se souvenant seulement que le nombre de choses qui lui avaient été reprochées lui avait paru considérable.

La fiancée de Monsieur, maintenant, depuis qu'elle fréquentait un certain Jean-Marc, homme d'affaires d'âge mûr et marié, commençait à découcher de plus en plus souvent et, quand il lui arrivait encore de venir dîner à la maison, elle restait très froide avec Monsieur, presque distante. Le Jean-Marc en question, lui, c'était tout juste si il lui adressait la parole. Avec les Parrain, par contre, il n'avait pas encore fini d'enlever son loden qu'il commençait à se confondre en attentions diverses, escomptant peut-être qu'ils fermeraient les yeux sur sa liaison avec leur fille (qui, après tout, était mineure).

Monsieur, lui, continuait d'entretenir avec tout le monde les meilleures relations. Les Parrain, par exemple, qui, sans chercher à comprendre ses raisons, avaient très bien admis que Monsieur ne tenait pas à retourner habiter chez son frère, ne ménageaient aucun effort pour l'encourager à trouver un nouvel appartement. Le matin, lorsque après sa douche, il venait prendre le petit déjeuner avec eux en peignoir de bain, ils ne manquaient jamais de s'inquiéter de

31

l'état de ses recherches, et ce fut même Mme Parrain, vraiment très gentiment, qui, prenant un jour les choses en main, finit par lui trouver un trois-pièces dans le quartier.

Le nouvel appartement de Monsieur, qui comptait trois grandes pièces, était quasiment vide et sentait la peinture. Dans sa chambre seule se trouvaient un ou deux meubles, quelques sièges de camping. Toutes les autres pièces étaient désertes, à l'exception du vestibule, où il avait entreposé ses valises, ainsi que deux caisses de revues, une machine à écrire portative. Depuis la veille, Monsieur n'avait touché à rien, n'avait rien déballé. Il était assis dans la chambre à coucher, la lumière éteinte, dans un transatlantique. Vêtu d'un costume gris, d'une chemise blanche et d'une cravate sombre que tout le monde lui enviait, il écoutait la radio en se touchant les joues, ou le sexe, c'était le bon plan, au hasard de son corps, mais aucun réconfort, à vrai dire, ne lui venait de s'avoir en permanence sous la main.

Et, ce soir-là encore, dans son nouvel appartement, Monsieur resta en l'état pendant des heures, à la bonne franquette, où l'absence de douleur était un plaisir, et celle de plaisir une douleur, supportable en sa présence. Son transatlantique, en toile bleu marine, permettait trois positions, que Monsieur adopta tour à tour suivant les heures de la soirée, de la plus droite à la plus inclinée. Quand la nuit fut déjà bien avancée, il abaissa les lattes de soutènement du siège jusqu'aux derniers taquets et se laissa glisser en arrière, les yeux fermés, jusqu'à deux doigts du sol.

Vers onze heures, certes, on sonna à la porte. Oui. Ouvrant les yeux posément, les bras lui en tombèrent, Monsieur parcourut le plafond du regard pendant quelques instants, et finalement, se levant de son mieux, traversa le couloir pour aller ouvrir. C'était un homme qu'il ne connaissait pas, qui, de profil dans l'ombre du palier, lui apprit qu'ils étaient voisins, ce qui parut égayer ce type (les gens, tout de même). Je m'appelle

Kaltz, dit-il, Kaltz, et il lui tendit la main. Lui assurant qu'il n'avait pas l'intention de s'attarder, il le contourna pour aller jeter un coup d'œil dans l'appartement, voulant savoir au passage ce que Monsieur faisait dans la vie. Lui, Kaltz, était géologue, minéralogiste si Monsieur préférait. Il était attaché de recherches au CNRS. Il revenait d'une semaine de vacances à Corfou, disait-il, avait quarante-sept ans. C'est possible, dit Monsieur, et il lui proposa de boire quelque chose avec lui, un verre de vin par exemple, il n'avait que ça.

Assis en face de lui sur le lit, Kaltz expliqua à Monsieur que, puisqu'ils étaient voisins maintenant, ils allaient pouvoir faire plein de choses ensemble et, sans perdre un instant, lissant son couvre-lit de la paume de la main, il lui fit part de son projet d'écrire un traité de minéralogie, dont aussitôt il entreprit de lui tracer les grandes lignes. Très vite, du reste, s'enthousiasmant à mesure qu'il lui présentait sa méthodologie, il commença de vouloir le convaincre de travailler avec lui ; il avait tous les éléments du livre en tête, disait-il, connaissait un photographe et une cartographe, et il ne lui restait plus que le texte à écrire, pour la rédaction duquel, justement, il serait heureux de s'attacher ses services. Si tu es d'accord, ajouta-t-il. Monsieur le regarda. Comme le silence s'installait, et qu'il semblait attendre une réponse, Monsieur demanda à tout hasard combien de temps il pensait que ça prendrait. Un an, dit-il. Monsieur se resservit de vin, posément, et, sur un ton apaisant, reposant la bouteille sur le parquet, avoua qu'il n'avait pas beaucoup de temps en ce moment, ajoutant que de toute manière, il ne connaissait rien à la minéralogie, pour ne pas en dire plus. Pas grave, dit Kaltz, et de lui expliquer qu'il se chargerait de tout, lui Monsieur n'aurait rien à faire, si ce n'est à recopier le texte sous sa dictée. Tu me sers encore un peu de vin s'il te plaît, dit-il. Puis, afin de tenter Monsieur encore davantage, il lui fit entrevoir qu'ils partageraient les droits d'auteur, deux tiers un tiers, assurant que l'ouvrage serait publié, plutôt à Stuttgart selon lui, chez un éditeur spécialisé dont il lui donna le nom prestigieux d'un air modeste. Comme, de nouveau, il semblait attendre une réponse, Monsieur finit par lui demander si, dans la perspective d'une publication à Stuttgart, c'était bien Stuttgart n'est-ce pas, il ne serait pas plus judicieux de songer à écrire le livre en allemand. Kaltz ne se démonta nullement et dit qu'ils pourraient très bien le faire traduire en allemand, leur livre, ou même le publier chez un éditeur français. Alors, c'est d'accord ? dit-il.

Monsieur ne savait rien refuser.

L'univers des minéraux, et plus particulièrement celui des cristaux, fascine non seulement certains spécialistes, mais également, et de plus en plus, le grand public. Toutes les roches, y compris les plus meubles, sont en réalité constituées de cristaux, rarement visibles à l'œil nu, et ce n'est pas un hasard si, jusqu'au début du vingtième siècle, on ignorait pratiquement tout de leur composition. Grâce à la découverte des rayons X, et depuis les expériences de Von Laue, qui eut l'idée de bombarder les cristaux de manière à photographier le rayonnement émergent, toute une branche nouvelle de la science allait naître : la cristallographie.

Ainsi, tous les week-ends (pendant la semaine, Monsieur travaillait), Kaltz lui dictait-il son ouvrage. Tournant dans sa chambre avec une chemise de documents divers, ou parfois simplement installé sur le lit de Monsieur, les lunettes relevées, sérieux et concentré, ses divers documents répartis sur l'édredon, il progressait dans son travail à un rythme soutenu. Assis à son bureau, Monsieur tapait le texte à la machine, relevant la tête de temps en temps pour lui demander quelque précision. Les premiers jours, perdu dans ses notes et très fébrile, Kaltz s'irritait d'être interrompu, un peu trop souvent disait-il, par les questions de Monsieur, et se permit même d'ironiser sur le fait qu'il ne tapait qu'avec deux doigts, mais comme Monsieur l'avait tout de suite remis à sa place, et plutôt sèchement, il tâchait maintenant de dicter plus lentement.

Le béryl, mit ein i grec, minerai double d'aluminium et de béryllium, est un cristal hexagonal, tandis que la topaze, comme nous l'avons déjà indiqué, est un fluorosilicate d'aluminium orthorhombique. De même, les grenats, silicates doubles d'aluminium et de calcium, magnésium, fer, manganèse ou chrome, sont utilisés en joaillerie pour leurs formes cubiques.

Monsieur finit par en référer à Mme Dubois-Lacour.

Dubois-Lacour, au téléphone (Monsieur appelait d'une cabine ; son voisin était en haut, dans la chambre), mise au courant de la situation, commença par lui dire qu'il aurait dû s'arranger pour refuser la proposition tout de suite, ajoutant que maintenant, ce qu'il y avait de mieux à faire était d'essayer, très simplement, de lui faire comprendre qu'il ne pouvait pas lui consacrer tous ses week-ends. Puis, s'irritant un peu à mesure que, fataliste, Monsieur se bornait à répéter qu'à son avis c'était devenu insoluble, elle conclut, agacée, qu'il pouvait quand même se débrouiller tout seul, non ?

Non. La situation était bloquée.

L'or natif, difficile à trouver, connu et désiré depuis les temps les plus reculés, magnifique dans ses teintes, passe à l'état cristallin dans le système cubique. Considéré dans la tradition comme le plus précieux des métaux, l'or est le métal parfait, dont la symbolique est inépuisable : symbole de la connaissance pour les Brahamana, peau neuve de la terre pour les Aztèques. Une signification plus spirituelle s'observe chez les Dogons, pour qui l'or est la quintessence du cuivre rouge, symbole également du feu purificateur et de l'illumination, comme l'indique le mot sanuya, que l'on peut traduire par Reinheit, pureté en français, qui est construit sur sanu, qui veut dire or : ZAHB.

Le plus sage apparut à Monsieur de déménager.

Dubois-Lacour proposa de l'accompagner pour aller visiter le nouvel appartement qu'elle lui avait trouvé ; une chambre, en réalité, chez des particuliers. A six heures, quittant le bureau ensemble, ils descendirent au parking souterrain de la tour où, entre deux colonnes de béton, était garée sa petite voiture. Expliquant à Monsieur qu'elle avait bon espoir de faire partie de la délégation que leur société allait envoyer au Japon, elle fit monter ses deux petits chiens à l'arrière et, prenant place, se pencha pour ouvrir la portière à Monsieur. Monsieur réunit autour de lui les pans de son manteau et, baissant la tête, une jambe la première, se recroquevilla pour parvenir à la rejoindre. Elle démarra aussitôt, et ils débouchèrent à l'air libre pendant que Monsieur attachait sa ceinture de sécurité.

Bien plus tard, ils arrivèrent dans une ruelle d'un quartier éloigné. Dubois-Lacour ralentit et s'arrêta devant un immeuble ancien, que devançait un jardinet cerné de grilles. Lui donnant toutes les indications nécessaires, elle le déposa là, ne pouvant l'accompagner plus avant car elle s'était mise en retard dans les encombrements. Monsieur, debout sur le trottoir, regarda s'éloigner la voiture de Simone. Lorsqu'elle eut disparu, il fit quelques pas dans la ruelle. Elle était déserte, silencieuse. Il continua à marcher quelque peu dans le quartier, entra dans un café, où il but une bière, acheta des cigarettes. Puis, revenant sur ses pas, il se présenta à nouveau devant l'immeuble.

Que faire ?

La façade, terne et propre, venait d'être repeinte. Les fenêtres du deuxième étage, où il devait se rendre, étaient fermées, des volets métalliques barraient deux d'entre elles. Dans le hall d'entrée, très sombre, cherchant la minuterie, Monsieur s'attarda devant les boîtes aux lettres, lut distraitement le nom des locataires. Puis, un peu indécis, il s'engagea dans les escaliers. Les marches étaient larges, recouvertes de moquette fixée par de fines tiges dorées. Arrivé au palier du premier étage, il hésita à poursuivre et, s'accordant un ultime répit, redescendit au rez-de-chaussée pour prendre plutôt l'ascenseur.

La porte de l'appartement du deuxième étage, en bois sombre, très massive, était séparée en deux battants, rehaussés chacun d'un heurtoir en argent. Monsieur frappa tout doucement et, n'entendant aucun bruit, s'apprêtait à repartir quand l'autre porte du palier s'ouvrit derrière lui. Il se retourna aussitôt, expliquant qu'il cherchait M. ou Mme Leguen. L'homme qui avait ouvert dit que c'était lui, M. Leguen, et, le faisant entrer dans un grand vestibule sombre, le dévisagea un instant en silence avant de lui demander de bien vouloir le suivre. Ils longèrent plusieurs couloirs, coupèrent à travers une vaste salle à manger, où dînait une vieille dame, bonsoir madame, et gagnèrent l'autre aile de l'appartement pour rejoindre son bureau. Là, prenant place derrière un petit secrétaire, M. Leguen lui posa un certain nombre de questions, voulut savoir son âge — vingt-neuf ans.

Après un bref tour d'horizon de leurs relations communes, qui se limitaient, en fait, à Mme Dubois-Lacour (Simone, il la connaissait depuis toujours), M. Leguen expliqua à Monsieur que, s'il avait fini par se décider à louer une chambre à un étudiant, ce n'était pas, bien sûr, pour les quelque mille deux cents francs qu'il en demandait. Vous êtes toujours étudiant, n'est-ce pas ? Mais, précédant sa réponse, il rassura Monsieur tout de suite, il ne tenait pas particulièrement à un étudiant. Non, simplement, ils avaient pensé, sa femme et lui, que leur locataire pourrait peut-être, une ou deux fois par semaine, conseiller et guider leur fils dans ses travaux scolaires. Ludovic, voyez-vous, dit-il en jouant songeusement de son coupe-papier, a des goûts très éclectiques pour un garçon de quinze ans. Il est cinéphile, helléniste. Mais en classe, comment dire, il rechigne un peu à s'adapter à des structures trop rigides, contraignantes parfois. C'est un redoublant, dit-il, et il se leva pour lui faire voir la chambre.


Il régnait, dans la chambre de Monsieur, une odeur de cire mêlée de sperme sec. Les rideaux étaient tirés. Le parquet, en bois foncé, paraissait plus sombre encore dans la pénombre. C'est la chambre de ma mère, dit M. Leguen à voix basse. Oui, je vois, chuchota Monsieur. Contre le mur se trouvait un meuble à miroir, très ancien, creusé d'une cuvette. Un crucifix pendait au-dessus du lit, et quelques photos noircies, dans des cadres ciselés, reposaient çà et là. M. Leguen, après avoir allumé la lampe de chevet, ouvrit l'armoire pour montrer les étagères à Monsieur, très propres, que recouvrait du papier fleuri punaisé. Ils regardèrent un instant ces étagères, acquiesçant l'un et l'autre, puis, refermant chacun un des battants de l'armoire, ressortirent de la pièce. Voilà, dit M. Leguen, si vous voulez vous pouvez emménager dès la fin de la semaine.

Non.

Monsieur avait dit non. M. Leguen le considéra un instant, sans malveillance, et, lui assurant qu'il comprenait très bien, ajouta que de toute manière il pouvait encore réfléchir. Puis, très courtois, il referma la porte et entreprit de le raccompagner. Marchant lentement l'un derrière l'autre, ils réempruntèrent le couloir et, après quelques détours dans l'appartement, retraversèrent la salle à manger, où la vieille dame qui dînait les regarda passer dans l'autre sens avec attendrissement.

Ainsi, les cristaux que l'on trouve dans la nature ne sont-ils pas· toujours parfaits et peuvent-ils présenter certains défauts, tels que les dislocations ou les fautes d'empilement, que la diffraction des rayons X permet de mettre en évidence soit localement par des topographies, soit globalement par la modification qu'ils entraînent dans l'intensité réfléchie par l'ensemble du cristal. On sonna à la porte. Surpris, Kaltz

45

s'interrompit, sa feuille à la main, et se tourna vers Monsieur, un peu contrarié, l'interrogeant du regard pour savoir s'il attendait quelqu'un. Non, non. Je vais aller voir, dit-il et, précédant Monsieur, il sortit de la pièce, lui apprenant en se retournant que c'était sans doute Mme Pons-Romanov (à qui, ajouta-t-il, il s'était permis de demander d'essayer de passer dans la soirée).

Introduite par Kaltz dans l'appartement, Mme Pons-Romanov, si c'était elle, un peu mal à l'aise debout dans la chambre de Monsieur, était une femme blonde, apparemment timide, qui portait une veste de fourrure claire assez seyante. Kaltz l'invita à s'asseoir dans le trans-atlantique. Elle prit place, précautionneusement, et disposa son sac à main sur ses genoux, adressant de temps à autre à Monsieur un sourire embarrassé. Kaltz, qui ne s'occupait pas d'elle, classait des papiers sur le lit, relisait ses fiches. Je suis à vous tout de suite, dit-il, je voudrais juste terminer ceci. Il ouvrit plusieurs chemises, vainement, et, expliquant qu'il ne trouvait pas un document dont il avait besoin, quitta la pièce pour aller le chercher dans son appartement, laissant Monsieur seul avec Mme Pons-Romanov.

Monsieur, qui ignorait qui pouvait être cette dame, resta quelques instants assis à son bureau, et ne pouvait s'empêcher, de temps en temps, de la regarder à la dérobée. Puis, comme Kaltz tardait à revenir, il se leva et alla s'asseoir sur son lit, à côté de Mme Pons-Romanov, qui, assise très droite dans le transatlantique, ôtait parfois un pied de ses escarpins pour le frotter délicatement contre sa jambe en regardant Monsieur les yeux baissés. Monsieur, lui, qui, chaque fois que leurs regards venaient à se croiser, continuait de répondre poliment à ses sourires, finit par se résoudre à engager la conversation, se permettant de lui demander si elle était une amie de M. Kaltz. Elle dit que non, pas vraiment, qu'elle le connaissait à peine.

Bien, bien. Monsieur, au bout d'un moment, se releva et, attendant le retour de Kaltz, entreprit de relire distraitement ses feuillets. Ayant trouvé quelques coquilles sur une page, il ouvrit son flacon de produit correcteur et joua du pinceau, çà et là, par touches chirurgicales, avant de souffler sur la feuille avec soin. Ensuite, comme Kaltz ne revenait toujours pas, il alluma une cigarette et, longeant le transatlantique de Mme Pons-Romanov, soucieux de la mettre à son aise, lui en proposa une en avançant le paquet.

Lorsqu'il reparut dans l'appartement, Kaltz s'excusa de s'être fait attendre et, supposant que Mme Pons-Romanov savait ce que Monsieur et lui attendaient d'elle, se dit à sa disposition pour tout renseignement complémentaire, au sujet des modalités financières par exemple. Puis, pensif, il ajouta que, pour l'ensemble de l'ouvrage, il ne devrait pas y avoir plus d'une vingtaine de cartes, les seules pouvant éventuellement poser problème, estimait-il, étant les stratigraphiques car, comme il le lui avait déjà dit lors d'une précédente conversation, plutôt que de procéder par coupes traditionnelles, il continuait de se demander s'il ne serait pas possible, à partir d'une carte chorochromatique classique, de disposer une superposition de couleurs dans chaque espace enserré distinct. Mme Pons-Romanov acquiesça et, se tournant vers Monsieur, dit que oui, à son avis, on pouvait toujours essayer.

Monsieur, qui n'y voyait pour sa part aucun inconvénient, debout dos à la fenêtre, était en train de prendre conscience que si Kaltz avait tant tardé à reparaître, ce n'était pas qu'il avait cherché en vain tel ou tel document, mais tout simplement parce qu'il avait été se changer. Ayant abandonné son habituel veston fatigué et son écharpe, il portait à présent un élégant costume en alpaga gris, une chemise blanche et un nœud papillon. Ainsi vêtu, il avait pris place au bord du lit et, les jambes croisées, entretenait Mme Pons-Romanov du dernier article qu'elle avait fait paraître dans une revue que co-éditait le CNRS, article qu'il trouvait personnellement d'une très grande pertinence, disait-il, même si il contestait quelques détails. Puis, ne sachant que faire de ses mains, il se leva et, tirant sur ses manches, proposa d'aller prendre l'apéritif chez lui, ajoutant presque timidement qu'il avait mis une bouteille au frais et préparé quelques petits fours. Aussitôt, comme s'il s'était trop avancé, il s'empressa d'ajouter à l'adresse de Mme Pons-Romanov que ce n'était vraiment pas grand-chose, qu'il avait juste tartiné quelques biscottes au kerrling et ouvert une boîte de rollmops.

Kaltz, qui, dans le couloir, continuait d'argumenter son éloge de l'article de Mme Pons-Romanov, duquel, sans entrer dans les détails, il ne pouvait que reconnaître la pertinence, s'arrêta au moment de sortir de l'appartement de Monsieur pour céder galamment le passage à Mme Pons-Romanov et, les yeux baissés, s'attardant un instant rêveusement sur son déhanchement, la rejoignit sur le palier pour se permettre de lui ouvrir la porte de son appartement. Ils entrèrent dans le vestibule, bientôt suivis de Monsieur, les mains dans les poches, à qui Kaltz, se retournant, dit qu'il avait bien fait de venir aussi.

50

Dans le salon où Kaltz les introduisit, le grand ménage venait apparemment d'avoir été fait, ne laissant subsister qu'un désordre plausible, un étui à lunettes abandonné sur une table basse par exemple, tel livre ouvert sur le bras d'un fauteuil. A peine entré, du reste, Kaltz s'empressa d'excuser le désordre et, refermant le livre aussitôt, alla le replacer dans la bibliothèque avec un tel naturel que Monsieur le soupçonna d'avoir répété le geste. Mme Pons-Romanov, elle, sans le moindre regard pour les efforts de Kaltz, avait immédiatement été se placer devant la fenêtre et, regardant dehors distraitement, enserrait frileusement les bras autour de sa pelisse. Monsieur, qui, au bout d'un moment, finit par s'apercevoir qu'elle était en train de le regarder lui, en reflet sur la vitre, lui sourit, un peu gêné, et, tandis que Kaltz annonçait qu'il allait chercher le champagne, faisant le tour de la pièce, il se mit à examiner la bibliothèque, où, entre les ouvrages, étaient rangés des échantillons de pierre, qui, pour les plus rares d'entre eux, étaient exposés sous verre dans une armoire vitrée. Il se pencha pour lire le nom de quelques roches sur les étiquettes dactylographiées qui indiquaient leur nature et leur provenance, puis alla prendre place dans le salon. Mme Pons-Romanov, alors, enleva lentement sa pelisse que, sans se retourner, elle posa à côté d'elle sur le dossier d'une chaise et, faisant enfin volte-face, à pas lents, surveillant des yeux l'effet qu'elle produisait, alla s'asseoir en robe de laine moulante, qui laissait libre cours à des traces à peine estompées de sous-vêtements vieux jeu.

De retour dans le salon en poussant devant lui une desserte chargée, Kaltz, traversant la pièce d'un air détaché, demanda à Mme Pons-Romanov quand elle pensait pouvoir commencer la réalisation des cartes et, posant modestement le seau à glace sur la table basse, prit place dans le canapé, la serviette blanche destinée au champagne sur l'avant-bras. Mme Pons-Romanov expliqua que ces jours-ci elle avait encore une ou deux commandes à terminer, mais qu'ensuite, c'était promis, elle ne manquerait pas d'essayer de se consacrer à leur ouvrage. Monsieur hocha la tête, continuant de regarder pensivement les murs, où pendaient des masques nègres, des boucliers. Tu pourrais peut-être ouvrir le champagne, non, lui dit Kaltz. Un rollmops ? ajouta-t-il, prévenant, à l'adresse de Mme Pons-Romanov en avançant la main vers l'assiette pour l'inviter à se servir.

Monsieur, finissant par se lever d'assez mauvaise grâce, prit la serviette de l'avant-bras de Kaltz et, la déployant, sortit du seau à glace une bouteille non pas de champagne mais de mousseux, que, faisant mine de ne rien remarquer, il déboucha à la rémoise, sur le petit côté, le goulot précautionneusement penché vers Kaltz, qui gardait un œil sur lui pour le regarder faire. Mme Pons-Romanov, qui avait déjà décliné un rollmops et qui, maintenant, venait de faire savoir qu'elle ne buvait pas d'alcool, soucieuse de faire quand même un minimum d'honneur à l'accueil de Kaltz, dit en prenant Monsieur à témoin qu'il lui semblait, mais peut-être se trompait-elle du reste, auquel cas cela n'avait vraiment pas d'importance, que Kaltz leur avait parlé de biscottes au kerrling. J'allais complète-

ment les oublier, dit Kaltz, et, se levant immédiatement, il partit les chercher à la cuisine, lui
demandant si, à la place du champagne, un
schweppes pourrait lui faire plaisir.

Kaltz, revenu de la cuisine, se rassit et, versant
le schweppes dans une coupe de champagne,
en surveillant l'ébullition comme il l'eût fait
d'un alambic, tâchait de donner à voir à Mme
Pons-Romanov les principales orientations de
son ouvrage. Avouant que cela le gênait un peu
d'en faire lire des extraits trop prématurément,
il lui demanda néanmoins, en lui tendant la
coupe, si elle serait désireuse de lire les premières
pages et, comme Mme Pons-Romanov, loin
pourtant de paraître désireuse, n'opposa pas
vraiment de refus, se contentant d'ouvrir les
mains avec un geste fataliste d'impuissance et de
résignation, Kaltz demanda à Monsieur d'aller
chercher le manuscrit.

Monsieur revint un peu plus tard dans le salon
avec le manuscrit, qu'il déposa sur la table basse.

Kaltz l'ouvrit et, chaussant ses lunettes, fit savoir à Monsieur en feuilletant négligemment les pages que Mme Pons-Romanov l'avait invité à passer le prochain week-end dans sa maison de campagne, où elle recevait quelques amis oui, ajoutant qu'elle avait également proposé que Monsieur se joigne à eux afin de ne pas le retarder dans son travail. Tu emmeneras ta machine à écrire, n'est-ce pas, dit-il en soulevant ses lunettes. Une petite machine d'assez mauvaise qualité, s'excusa-t-il auprès de Mme Pons-Romanov, mais très facile à transporter.

Le soir de leur arrivée, à la tombée de la nuit, devant la maison éclairée dont, à travers les portes-fenêtres ouvertes, leur arrivaient des sons de voix lointains, ils ratissaient, Mme Pons-Romanov et Monsieur, les feuilles mortes dans le fond du jardin. Après avoir rangé les outils dans la remise, et mis un peu d'ordre parmi les râteaux, ils revinrent vers la maison, où elle lui présenta un couple de personnes âgées avant de monter à l'étage, en continuant tranquillement à converser. Elle entra dans sa chambre et, repoussant

Monsieur d'un doigt, lui dit en refermant lascivement la porte, qu'elle allait se changer, sans doute passer une jupe.

Comme la chambre que Monsieur occupait se trouvait au deuxième étage et que, dans les escaliers, se faisaient entendre de nombreux bruits d'allées et venues, Monsieur, ne sachant où aller, résolut d'attendre là et marcha de long en large dans le couloir, s'approchant de temps à autre du palier pour jeter un coup d'œil par-dessus la rampe. Finalement, craignant d'être surpris ainsi inoccupé, il prit un livre sur un guéridon et s'installa sur une chaise retirée, qui jouxtait une commode. Assis là, le livre sur les genoux, il l'ouvrit pour se donner une contenance au cas où quelqu'un parviendrait devant lui. Ce fut Kaltz, finalement, qui apparut dans le couloir dans un costume nickel ; la chemise immaculée et le papillon parfait, il trouva Monsieur plongé en pleine lecture et lui proposa aussitôt, plutôt que de rester là à ne rien faire, de descendre avec lui rejoindre les autres invités. Monsieur, interrompant sa lecture, alla remettre le livre en place et demanda à Kaltz si, auparavant, il ne pouvait pas l'accompagner jusqu'à sa chambre car il désirait mettre une cravate, celle que tout le monde lui enviait, mais Kaltz dit que cela irait très bien comme ça et, pendant qu'ils descendaient, il lui conseilla même de ne plus porter de cravate, trouvant qu'il ne payait pas de mine avec sa cravate et son pull jaune.

Le mari de Mme Pons-Romanov, qui était apparemment dans l'import-export, exerçait des activités multiples, boursières et financières, dont personne n'était en mesure de déterminer en quoi elles consistaient ; lui non plus, du reste, à en juger par la manière dont il était en train d'en parler. Il y avait là, dans ce salon, prenant l'apéritif devant la cheminée, plusieurs amis des Romanov dont, pour les plus prestigieux, un secrétaire d'Etat dont Monsieur ignorait jusqu'à l'existence du portefeuille et un scientifique américain qui n'était pas encore arrivé. Lorsqu'elle fit son entrée en jupe cintrée, Mme Pons-Romanov, qui s'était composé un petit chignon très strict, se fit présenter les invités qu'elle ne connaissait pas, plusieurs dames, des messieurs qui se levèrent. Le secrétaire d'Etat était un homme austère, sobrement vêtu, les cheveux très noirs, plaqués en arrière, qui portait de grosses lunettes d'écaille, derrière lesquelles ondulait un regard équivoque qui vous brise une carrière. Il s'inclina pour baiser la main de Mme Pons-Romanov, et lui dit d'un air douloureux qu'il était très heureux de faire sa connaissance. Ceci dit, il sourit de contentement feutré, et se rassit dans sa bergère, en tirant sur le pli de son pantalon. Puis, durant tout l'apéritif, assis très droit, la tête légèrement penchée, il suivit la conversation avec bienveillance, en roulant de temps à autre autour de lui ses yeux de maharadjah.

Pendant que Monsieur, lui, les yeux baissés, appréciait discrètement la qualité du cuir de ses chaussures, dont, en croisant les jambes, il avait réussi à mettre une en évidence sous une lampe, M. Romanov, bien calé dans son fauteuil, un verre de whisky à la main, expliquait au secrétaire d'Etat qui n'en croyait pas ses yeux que selon de récentes révélations de la revue

*Est-Ouest,* dont on ne pouvait mettre en doute l'impartialité, disait-il, à moins d'être communiste bien sûr, plusieurs nouveaux centres radars avaient été mis en place sur le territoire soviétique à Olenogorsk, Pechora, Sary Shagan, Lyaki et Pushkino. A Krasnoyarsk aussi, il me semble, ajouta-t-il pour être tout à fait complet, tandis que Kaltz, à côté de lui, avait trouvé une vieille dame à qui parler de son livre.

Dans sa chambre, après le dîner, Monsieur ne se coucha pas tout de suite. Non. Il éteignit la lumière, et se posta près de la fenêtre, pieds nus, regarda le jardin quelques instants, les allées régulières, les pelouses sombres s'échelonnant. Puis, quand la maison entière se trouva dans l'obscurité, que toutes les lumières se furent éteintes, il ouvrit la fenêtre et, regardant le ciel au-dessus de la crête noire des arbres, tâcha vainement de se représenter des satellites artificiels, aux traînées qu'il imagina continues.

Monsieur, oui, en toutes choses, son mol acharnement.

Pour le déjeuner, le lendemain, les Romanov firent à leurs invités des brochettes au bas de la terrasse sur leur barbecue à contrôle de cuisson automatique. Chaque fois qu'un voyant lumineux clignotait au-dessus d'un des douze compartiments à brochette de l'appareil qui semblait vraiment sur le point de décoller d'un instant à l'autre, tant la fumée s'accumulait sous ses réacteurs, M. Romanov, un peu dépassé par les événements, une serviette autour de la taille, une fourchette dans sa manicle, retirait la brochette du grill et, s'agenouillant pour vérifier le thermostat, la remplaçait aussitôt par une autre brochette, remontant d'un air perplexe le bouton d'horlogerie de la minuterie du compartiment correspondant. Pour ce repas de brochettes improvisé, Mme Pons-Romanov avait jugé plus sympathique de ne pas faire dresser la table. Sur la nappe mordorée, deux grands plateaux avaient été disposés sans façon, un pour les condiments, les moutardes, les cornichons, les piments, les petits pots de mayonnaise, de béarnaise, de sauces piquantes et de sauces douces, à la tomate et au madère, et l'autre sur lequel reposaient les assiettes, en pile si simplement, c'est dire si c'était divin. Assis au bas des escaliers, Kaltz avait tombé la veste, entrouvert la chemise. Le corps penché en arrière, il s'entretenait de cinéma italien avec le secrétaire d'Etat. Vous savez, il y a longtemps que je n'ai plus été au cinéma, disait le secrétaire d'Etat. Fellini, continuait Kaltz néanmoins, Comencini, Antonioni, ah Antonioni, ajoutait-il, Antonioni. Ecoutez, je n'ai plus tellement le temps d'aller au cinéma, disait le secrétaire d'Etat. Moi non plus, hélas, avouait Kaltz. Ils s'en plaignaient l'un et l'autre, en étaient attristés, finirent par songer à abandonner leurs fonctions.

Après le déjeuner, Monsieur mit vingt et un quatre au ping-pong au secrétaire d'Etat ; puis, faisant le tour de la table d'un air absent en laissant traîner sa raquette derrière lui, il lui

61

proposa une revanche sans enthousiasme, mais le secrétaire d'Etat, plutôt que de se faire battre à nouveau par ce jeune homme antipathique, sûrement communiste, préféra refuser pour aller lire tranquillement au soleil. Lorsque Monsieur revint parmi les invités, le café avait été servi dans le jardin ; quelques personnes allaient et venaient dans les allées, certains sommeillaient dans des chaises longues. Assis non loin de là, tiens, tiens, Mme Pons-Romanov prenait son café en compagnie de Kaltz. Bien, si nous allions faire une sieste, dit Kaltz, et, se levant mine de rien, il s'éloigna aussitôt en suivant avec retenue Mme Pons-Romanov au plus près.


La femme du secrétaire d'Etat, assez grosse jeune personne élégante, passa pratiquement tout l'après-midi sur la terrasse, assise sur un fauteuil en osier, les genoux à hauteur du visage, œuvrant à s'épiler les jambes avec une minuscule pince de toilette. De temps à autre, relevant lassement la tête, elle regardait sous ses cheveux qui avait l'outrecuidance de lui adresser la parole — et soupirait. Non, elle ne voulait rien boire.

Non, elle ne voulait pas aller se promener. Ce qu'elle voulait, c'est qu'on la laisse tranquille : elle avait encore du pain sur la planche, l'été approchait.

Kaltz, pour cet après-midi de rêve, passé sur une balancelle dès son retour de la sieste, à lire, pour se détendre, quelque ouvrage trouvé dans la maison, fermant le livre de temps en temps pour boire une gorgée de jus d'orange, et allumer une cigarette, fumée tranquillement, en observant d'un œil distrait le calme jardinier qui taillait les rosiers (sans s'apercevoir immédiatement du reste que, sous le chapeau de paille, il s'agissait de Monsieur), ne dut regretter qu'une chose, le ball-trap de Romanov, qui le faisait régulièrement tressauter.

Ayant trouvé momentanément refuge dans la proximité des roses, qu'il travaillait avec soin au sécateur avant de les bouturer une à une, Monsieur fut bientôt rejoint par Hugo, le fils des Romanov, qui, l'ayant pris en sympathie, ne cessait de le brouter depuis le début de l'après-midi pour faire un ping-pong avec lui. Ne parvenant pas à s'en défaire, Monsieur céda finalement aux assiduités de sa mère qui avait fini par se mettre de la partie en intercédant en sa faveur, et lui accorda ce ping-pong. Je te donne cinq points d'avance, bonhomme, dit-il en prenant la raquette. Vous rigolez, dit Hugo. Allez, neuf points, dit Monsieur, grand seigneur. Monsieur, un grand seigneur. Mais vous rigolez, dit Hugo, au ping-pong je suis un dieu. De fait, la partie fut assez disputée. Monsieur avait remonté ses manches et ôté ses chaussures. Pieds nus, hargneux, complètement en sueur (mais vous devriez arrêter de jouer, s'écria Mme Pons-Romanov, vous êtes tout rouge), il s'accrochait pour tenir tête. Hugo jouait d'une manière très technique, souple et mobile, liftant, liftant, smashant — imparable. Furieux, s'acharnant, Monsieur, un autre homme, le regard épouvantable, releva les jambes de son pantalon, puis enleva sa montre pour reprendre son souffle un instant. Quand, vers la fin de la partie, il parvint à endiguer certains de ses smashes pour finir par gagner quelques points d'affilée, Hugo lui concéda qu'il

64

avait pu être assez bon au ping-pong dans ses plus belles années.

A partir de ces quelques données fondamentales, il est maintenant nécessaire de revenir à la symétrie d'orientation du cristal qui, étant celle que l'on peut déduire à l'échelle de la maille, est également celle d'une figure formée par l'ensemble des demi-droites issues d'un même point arbitraire qui sont parallèles aux directions suivant lesquelles une propriété donnée du milieu est identique, ceci se vérifiant pour toutes les propriétés, la symétrie du milieu étant la symétrie commune à toutes les propriétés.

Ils ne travaillèrent guère plus d'une heure en fin d'après-midi, Kaltz et Monsieur, tranquillement, isolés dans une petite chambre du deuxième étage. Puis Kaltz, rangeant ses documents, proposa à Monsieur de faire une dernière promenade avant de rentrer à Paris. Ils marchèrent côte à côte jusqu'au fond du jardin; Kaltz, détendu, commentait l'évolution de son travail tandis qu'un jour rose, au loin, commençait de recouvrir la maison. Contraint de faire demi-tour devant la barrière qui condamnait l'allée pour la séparer de l'aire de ball-trap, ils coupèrent à travers la pelouse pour rejoindre la maison, où quelques lumières allumées ressortaient aux fenêtres des étages. Kaltz, les bras ouverts, marchait en respirant fort et expliquait que c'était son rêve de pouvoir vivre à la campagne, ainsi, en pleine nature.

De retour à Paris, ils furent déposés devant chez eux par le secrétaire d'Etat qui, dans les embouteillages, était resté d'un calme remarquable, passant une vitesse, revenant au point mort, tandis que sa femme, à côté de lui, regrettait en soupirant de ne pas avoir fait appeler de motard pour leur frayer la voie. Assis à l'arrière à côté de Monsieur, Kaltz, à qui l'idée de rentrer dans Paris escorté par des motards ne devait pas déplaire, suggéra de s'arrêter à une cabine pour téléphoner. Oui, oui, dit-il, arrêtez-vous là, et comme, penché sur le siège avant les coudes écartés, il commençait à insister, Monsieur, sachant qu'il finissait toujours par arriver à ses fins, n'eût pas aimé être à la place du secrétaire d'Etat (qui parvint néanmoins, en restant très courtois, à dire qu'il n'en était pas question).

Sur le palier de leur étage, au moment de prendre congé, Monsieur remercia Kaltz pour le week-end et, comme il s'apprêtait à sortir la clef de sa poche, Kaltz lui proposa de venir manger un morceau avec lui, ajoutant qu'il avait une surprise à lui montrer. Pas un mot de plus, dit-il. Il le fit entrer dans son appartement et, le dirigeant vers la cuisine, l'engagea à s'asseoir sur une chaise en exerçant une petite pression conjuguée sur ses épaules. Puis, s'assurant que Monsieur ne bougerait plus, il disparut un court instant et revint avec la surprise, les photocopies des croquis qu'il avait faits pour la préparation des cartes, des dizaines d'esquisses et d'ébauches d'assemblages cubiques compacts, qu'il retira une par une d'une assez belle chemise plastifiée. Laissant Monsieur admirer le tout à son aise, il sortit du réfrigérateur plusieurs assiettes et un plat en argent, dans lequel des rollmops un peu desséchés avaient commencé de brunir autour de leur cure-dent. Ensuite, il entreprit de mettre le couvert, les verres et les assiettes, et posa sur la table une bouteille de beaujolais. Je n'ai pas de tire-bouchon, malheureusement, dit-il, mais ce n'est pas grave n'est-ce pas, nous boirons de l'eau. Monsieur, acquiesçant, rangea les dessins dans la chemise et, se levant, dit qu'il allait chercher un tire-bouchon chez lui.

Monsieur revint assez longtemps plus tard — il ne pouvait pas savoir, non, il ne pouvait pas savoir qu'il n'aurait jamais dû repasser chez lui ce soir-là — avec le tire-bouchon, qu'il déposa sur la table. Kaltz lui demanda ce qui n'allait pas. Rien, dit Monsieur, j'ai reçu un coup de téléphone de mon frère. Il se rassit, en silence. Examinant le tire-bouchon avec circonspection, Kaltz, à voix basse, lui demanda si c'était quelque chose de grave. Non, non, dit Monsieur, pas vraiment, il va à l'Opéra ce soir et il m'a demandé de venir garder ses filles.

Lorsqu'il se présenta chez son frère, Monsieur dut sonner à plusieurs reprises avant qu'on ne lui ouvrît la porte. La porte entrouverte, une jeune femme qui s'apprêtait à sortir lui demanda ce qu'il désirait. Monsieur, souriant d'un air entendu, la contourna et entra, se dirigeant tranquillement vers la chambre de ses nièces. Dans le couloir, il fut arrêté par une autre jeune femme qui, prévenue par la première, lui barra presque le passage pour lui demander elle aussi ce qu'il voulait. Sur ces entrefaites, parut le frère de Monsieur (tiens, salut, dit-il), en smoking, qui, lui ayant demandé comment ça allait, le présenta aux jeunes femmes, Anne et Bénédicte, toutes deux professeurs de philosophie. Monsieur leur fit la bise et, restant un instant avec elles dans le couloir, chatoyant, demanda à son frère vers quelle heure il pensait rentrer.

Le frère de Monsieur (professeur de philosophie lui aussi, mais Monsieur n'avait pas à juger la conduite de son frère), avait deux petites filles, les nièces de Monsieur, des jumelles de six ans et six ans. Monsieur, qui, à l'occasion, les avait examinées patiemment, parvenait maintenant à les différencier du premier coup d'œil. Toi, tu es Jeanne, disait-il en bougeant le doigt, et toi Clotilde. Oui, c'est ça, s'écriaient-elles, extasiées. L'une d'elle, Clotilde, était très vive, souriante, insaisissable, et l'autre plutôt amorphe, comme son oncle.

Monsieur, chaque fois qu'il venait les garder, afin de leur éveiller l'esprit, très tendre à cet âge, avait décidé d'en profiter pour leur apprendre à jouer aux échecs. Il installait un échiquier au milieu du salon, sur une table basse, et s'asseyait en tailleur sur la moquette. Les jumelles, en face de lui, étaient très concentrées. Pendant qu'il leur expliquait la marche des pièces, debout l'une à côté de l'autre en maillot de corps et petite culotte de coton, elles l'écoutaient attentivement, toutes petites et profondément absorbées. Cessez de vous mettre le doigt dans la barquette, disait Monsieur, quand j'explique.

Les leçons avançaient, les petites commencèrent à savoir bouger les pièces. Monsieur, quand elles réfléchissaient, les trouvait adorables, ses vraies nièces. Il aimait tout particulièrement la façon qu'elles avaient de dire j'adoube lorsque, comme il le leur avait appris, elles touchaient une pièce qu'elles n'avaient pas l'intention de jouer. C'était même la seule chose qui leur plaisait vraiment aux échecs, pouvoir dire j'adoube, et Monsieur finit par les soupçonner de faire exprès de bouger toutes les pièces à la fois, uniquement pour le plaisir de dire j'adoube.

Lorsque, ce soir-là, Monsieur arriva dans la chambre de ses nièces, elles étaient en train de se divertir avec un sèche-cheveux, se disputant l'appareil pour propulser l'air sous les affiches qui décoraient leurs murs. Monsieur s'assit sur le lit, sans rien dire, ce qui suffit pour qu'elles se missent vaguement à le craindre et que, dans le doute, elles finissent par se lasser de leur jeu. Monsieur débrancha l'appareil et leur dit qu'il était l'heure d'aller se coucher. Puis, se retournant, il leur fit sans conviction l'atterrissage forcé du planeur, qui les avait toujours fait rire. Nous,

71

on se comprend, hein, dit-il. Il s'assit à côté d'elles et, les bordant, les embrassa sur les quatre joues. Nous, on se comprend, hein, répéta-t-il avec tristesse. Qu'est-ce que tu dis, tonton ? Non, elles ne comprenaient rien.

L'or natif, que l'on trouve dans la nature à l'état de corps simple, est souvent finement disséminé dans la gangue quartzeuse des filons aurifères et dans les sulfures, la pyrite par exemple, le mispickel, deux i, la pirrotite, deux r deux i, et la stibine — comme ça se prononce.

Monsieur, soucieux de s'aérer quand même de temps en temps, un samedi après-midi, emmena ses nièces au Palais de la Découverte. Ils traversèrent les salles en coup de vent, les petites trottinant assez loin derrière lui, et, s'arrêtant parfois devant une vitrine, Monsieur, ne perdant jamais une occasion de les instruire, essayait de leur donner à comprendre les grands principes de la vie, qui, pour elles, demeuraient encore plus mystérieux que pour lui. Dans la rue, la visite

72

achevée, tandis qu'ils s'éloignaient, Monsieur leur expliquait encore que quand ils marchaient vers l'est, leur vitesse s'additionnait à la vitesse de rotation de la terre, tandis que lorsqu'ils se déplaçaient vers l'ouest, elle s'en soustrayait. Tu nous achètes une pizza, tonton, dirent-elles. Une pizza ? s'écria Monsieur en s'arrêtant et, cherchant autour de lui quelque passant à prendre à témoin, il leur dit qu'à leur âge, on ne mangeait pas de pizza. Point final. Maintenant, dit-il, écoutez-moi. A votre avis, si l'on cherche à se fuir soi-même, ce que je ne vous conseille pas d'ailleurs, reprit-il arrêté sur le trottoir les mains dans les poches pendant que les jumelles en petits anoraks roses, sous lui, gardaient la tête levée pour l'écouter, est-ce qu'il vaut mieux marcher vers l'est ou vers l'ouest ? Elles ne savaient pas. Vers l'est, dit Monsieur, malicieux, en bougeant le doigt, vers l'est, parce que le temps, pendant le déplacement, s'écoule plus vite. C'est toujours ça de gagné, dit-il, et il se remit en route. Une pizza ? A leur âge, une pizza ?

Le soir, quand il n'avait pas de feuillets à

73

recopier, Monsieur, couché sur son lit, épluchait décorativement des oranges, les travaillait avec un canif suisse pour en faire des plantes aquatiques, nénuphar ou lis d'eau. Abstraction faite de rares pensées fugitives qui, informulées, s'anéantissaient continûment dans son esprit, Monsieur, à mesure qu'il consentait à poursuivre, n'avait plus aucune conscience de l'écoulement du temps, ni vers l'est, ni vers l'ouest. Auparavant, il aurait aisément pu se représenter deux entités distinctes, abstraites malheureusement, séparées en tous points, qui l'une, immobile, eût été lui, il avait toujours été assez pépère, et l'autre le temps, en mouvement sur son corps, tandis qu'à présent se faisait jour en lui l'idée qu'il n'y avait pas deux entités, mais une seule, un vaste mouvement qui l'emportait maintenant sans résistance.

L'interprétation des termes grecs utilisés pour la reconnaissance des formes extérieures des cristaux — oho, tu m'écoutes — est aisée en effet, sinon immédiate, et ne présente aucune difficulté, même pour le profane, pinacoïde, par exemple, de pinax, planche, signifiant deux plans parallèles tandis que pentagonohexaoctaè-dre, de hexa et octo, veut dire un solide à six fois huit quarante-huit faces qui sont des pentagones.

Monsieur, paix aux hommes de bonne volonté, le lendemain soir, emménagea chez les Leguen.

Au moment de son arrivée, M. Leguen, qui l'attendait dans le vestibule, commença de vouloir le présenter à sa femme et à son fils. Oui, oui, dit Monsieur et, comme le taxi l'attendait en bas, parant au plus pressé, il demanda si quelqu'un pouvait l'aider à porter ses affaires. Il ne parut pas enchanté par l'idée, Ludovic, mais suivant Monsieur de mauvaise grâce dans les escaliers, désinvolte et distant, il aida le chauffeur à décharger le taxi et monta ses valises en deux fois, qu'il alla déposer dans sa chambre.

Dans sa chambre, Monsieur ôta le couvre-lit

en dentelle ajourée, le plia en deux, et s'allongea de tout son long sur les couvertures, dénoua sa cravate. Sans se relever, il s'employa à enlever ses chaussures, l'une après l'autre, qui finirent par tomber sur le sol. Il resta quelques instants ainsi, soulagé de n'avoir plus de voisin, les mains ouvertes, ne respirant pas, ou juste ce qu'il fallait.

On a une interro en physique, demain, dit Ludovic en entrant dans sa chambre. Il déposa son manuel de physique sur le bord du lit et, sans plus s'occuper de lui, alla regarder par la fenêtre d'un air accablé. Monsieur, au bout d'un moment, se redressa sur le lit et, allumant une cigarette (à son avis, il était trop calme), demanda sur quoi portait l'interrogation et ce qu'il y avait à réviser. Le mouvement son caractère relatif, dit-il. Monsieur tira une bouffée de sa cigarette et, ouvrant le livre, demanda si c'était la leçon qu'il fallait apprendre. Evidemment, dit-il, le mouvement son caractère relatif, il n'y a pas d'exercice.

Evidemment, dit Monsieur. Ayant rapidement feuilleté son manuel, il se porta à la page indiquée, et commença à lire. Le mouvement, lut-il, son caractère relatif. C'est le titre, dit-il ; tu comprends ce que cela veut dire, au moins ? Bien sûr, il comprenait, il l'avait fait hier en classe, le mouvement son caractère relatif. Bon. Dès qu'un point est mobile dans un repère, il ne suffit plus de connaître sa position, il faut également savoir quand il occupe cette position. Ainsi, le temps intervient-il de deux manières dans le domaine de la physique, par la durée d'une part, qui est l'intervalle de temps qui s'écoule entre le début et la fin du phénomène observé ; par la date d'autre part, qui est l'instant auquel un événement a lieu. Répète, dit-il. Maintenant ? demanda Ludovic, qui continuait de regarder par la fenêtre. A ton avis ? dit Monsieur. Et, pendant que, regardant par la fenêtre, Ludovic répétait que la durée c'était l'intervalle de temps qui s'écoulait entre le début et la fin et que la date, c'était le moment où cela avait lieu, Monsieur, sans faire de bruit, sortit de la pièce et quitta l'appartement sur la pointe des pieds. Arrivé en bas, dans la ruelle, il alla se poster sur le trottoir d'en face et vit Ludovic derrière la vitre qui terminait de réciter sa leçon (les gens, tout de même).

Monsieur, les bras croisés, ne bougea pas et n'était pas loin de sourire, immobile dans la ruelle. Peut-être que voyant Monsieur là, du reste, devant lui sur le trottoir, alors qu'il aurait dû être derrière lui, dans la chambre, Ludovic, pris de vertige, se représenterait-il que Monsieur, qui ne pouvait évidemment s'accomplir qu'à l'état stationnaire, se déplaçait apparemment sans transition et que son énergie, comme celle de l'électron du reste, dans ses passes de bonneteau, hip hop, effectuait un saut discontinu à un certain moment, mais qu'il était impossible de déterminer à quel moment ce saut se produirait car il n'y avait pas de raison, selon l'interprétation de Copenhague, qu'il se produisît à un moment donné plutôt qu'à un autre. Mais, de l'avis de Monsieur, il ne le comprendrait pas. Non (ce n'était pas au programme).

Monsieur, ensuite, traîna dans le quartier, marcha lentement dans les rues. Il regardait les devantures des magasins de disques, des magasins de pulls — acheta des chaussures. Ma foi. En ressortant du magasin, de plus en plus songeur, il prit le journal sur la place et entra dans un café, son carton de chaussures à la main.

La salle du café était presque déserte, et Monsieur alla s'asseoir dans un renfoncement du mur, sur une banquette un peu passée, brune et lézardée par endroits. Il sortit les chaussures de la boîte, les délivrant des multiples couches de papier de soie qui les enveloppaient, et, en enfilant une dans la main, la considéra quelques instants de profil. Puis, rangeant le tout, il posa la boîte à côté de lui et commanda une bière, déplia son journal. A une table voisine, sous la cabine du téléphone, se trouvaient deux hommes qui paraissaient assez désorientés, et dont Monsieur soupçonna très vite le plus jeune qui, depuis qu'il était entré, ne cessait de regarder furtivement autour de lui, visiblement ennuyé, de ne pas tarder à vouloir lui demander quelque

79

chose, renseignement ou requête, peut-être même le taper. De fait, finissant par aborder Monsieur, il lui demanda s'il n'avait pas quelque chose pour écrire. Monsieur, après réflexion, refermant son journal, lui dit que non. J'ai bien mon stylo, dit-il, mais je ne le prête pas, c'est une règle que je me suis fixée (Monsieur s'en fixait peu, mais s'y tenait). Puis, comme le jeune homme semblait désappointé, Monsieur, conciliant, sortit son stylo de sa poche intérieure et lui dit que si il lui tendait sa feuille, il voulait bien écrire pour lui. Ah, très volontiers, dit le jeune homme et, se levant pour prendre place à ses côtés, il invita l'homme plus âgé à venir s'asseoir en face d'eux à la table de Monsieur. Ça risque peut-être d'être un peu long, dit-il.

Voilà, expliqua le jeune homme, je suis étudiant en histoire et je fais un mémoire sur le lycée de Chartres pendant la drôle de guerre. Pourquoi le lycée de Chartres, vous allez me dire ? demanda-t-il et, sans attendre de réponse, il reconnut aussitôt que c'était un choix tout à fait arbitraire, mais qu'il avait souhaité s'attacher à

80

quelque exemple concret, de manière à pouvoir s'intéresser aux archives locales en se rendant lui-même sur le terrain, et de manière aussi, dans la mesure du possible, à essayer de rencontrer des témoins qui avaient vécu cette époque. Ajoutons, dit le jeune homme, que Chartres se trouvant dans l'Eure-et-Loir, le préfet de cette région en 1939 était Jean Moulin, ce qui est assez piquant n'est-ce pas ? Donc, dit-il, pour mon travail, dans un premier temps, j'ai rassemblé la liste de tous les élèves qui faisaient leur scolarité au lycée Marceau en 1939 ; je leur ai écrit pour leur faire part de mon projet en leur demandant s'ils accepteraient de collaborer avec moi en me donnant leur témoignage, et M. Levasseur justement, dit-il en désignant l'autre homme, lequel, se voyant présenté, inclina la tête avec modestie, a accepté de nous parler de son année scolaire 1939-1940. Et vous n'avez pas de stylo, non plus ? demanda Monsieur. Non, dit M. Levasseur en ouvrant les mains, désolé.

Bien, dit le jeune homme, nous allons commencer. Je voudrais vous demander, M. Levasseur, première question, quelles furent les principales perturbations propres à l'année 1939, concernant la rentrée scolaire par exemple. Bien, dit M. Levasseur, se redressant sur sa chaise en joignant les mains, personnellement j'ai réussi la première partie du bac dès le mois de juin, mais je crois me souvenir que l'oral du bac, cette année-là, n'a pas eu lieu à Paris mais à Chartres, à l'intérieur même du lycée, ce qui entraîna les perturbations que vous imaginez. Quel était, alors, votre état d'esprit ? demanda Monsieur en tapotant sur la table.

Mon état d'esprit ? dit M. Levasseur et, du regard, il interrogea discrètement le jeune homme pour savoir s'il devait aussi répondre aux questions de Monsieur ; eh bien, dit-il, le jeune homme lui ayant donné le feu vert par une inclinaison tacite des paupières, nous pensions que, tôt ou tard, nous serions mobilisés. Nous n'ignorions pas, en effet, qu'en 1914 les classes les plus jeunes avaient été rappelées et nous pensions que cela allait se passer sur le même modèle pour nous. Il y a donc eu pendant toute l'année un sentiment de provisoire, qui a pris fin brutalement le 10 mai 1940 avec l'offensive allemande. Ce jour-là, je m'en souviens très bien, j'ai accompagné à la gare un ami tchécoslovaque qui partait au front. Après l'occupation de la Tchécoslovaquie par Hitler, de nombreux soldats tchèques ont en effet fui leur pays et certains, qui s'étaient engagés dans l'aviation, se sont retrouvés à la base aérienne de Chartres (est-ce que vous pouvez parler un tout petit peu plus lentement, demanda Monsieur).

Pourriez-vous nous dire, M. Levasseur, dit le jeune homme quand Monsieur eut terminé de prendre note, ce qui a changé à partir du 10 mai 1940. Bien, dit M. Levasseur en buvant une petite gorgée d'apéritif, pour les plus jeunes, il n'y a eu pratiquement aucun changement, cela continuait comme si de rien n'était. Nous, par contre, nous avons cherché à nous rendre utiles, nous servions pour la Croix-Rouge par exemple, ou pour un centre d'accueil de réfugiés. Bien, dit Monsieur, je vous remercie. Et cela jusqu'au 13 juin, s'empressa d'ajouter M. Levasseur, date à laquelle tout le monde a quitté Chartres. Oui, oui, dit Monsieur, apaisant, et il se leva pour prendre congé.

De retour chez les Leguen, utilisant la clef qu'on lui avait remise, Monsieur s'engagea dans le couloir et, traversant la salle à manger, où dînait toujours la même vieille dame du reste, bonsoir madame, passa dans l'autre aile de l'appartement pour regagner sa chambre. Là, couché sur le lit les bras sur la poitrine, respirant lentement, Monsieur n'en démordait pas, il se trouvait trop calme. Il devait, et il le savait bien, essayer de s'énerver un peu dans les circonstances de la vie, progressivement sans doute, par étapes, de manière à éviter que toute la tension qu'il emmagasinait n'explosât d'un seul coup.

Tout doucement, on frappa à la porte. Tout doucement. Confuse de déranger Monsieur, la vieille dame, en entrant, lui expliqua qu'elle avait égaré un châle et qu'elle s'était permis de venir voir si, par hasard, il n'était pas resté dans sa chambre. Je suis la maman de Lucien, dit-elle, et elle baissa les yeux, apparemment flattée. Puis, comme ils ne disaient plus rien, elle fouillant l'armoire à la recherche de son châle et Monsieur, en appui sur les coudes, qui la regardait faire, elle lui avoua au passage que cela avait été très pénible pour elle de devoir quitter sa chambre, très pénible, dit-elle, mais elle ajouta aussitôt que Monsieur n'y était pour rien, bien sûr, c'était son fils qui l'avait convaincue de cet arrangement. Vous êtes professeur, n'est-ce pas ? dit-elle avec attendrissement.

Dans le domaine de la physique, pour exprimer la date, il est nécessaire de définir une origine des temps et lui attribuer conventionnellement la date zéro. Tu m'écoutes ? dit Monsieur. Oui, oui, dit Ludovic. Pour établir une chronologie, reprit-il, il est nécessaire de disposer d'un appareil de mesure du temps. Une horloge, par exemple, dit-il. Une horloge ? dit Ludovic, qui semblait en douter. Oui, dit Monsieur d'une voix blanche, une horloge. Un chronomètre électronique plutôt, dit Ludovic. Va chercher ton père, s'il

85

te plaît, dit Monsieur (Monsieur n'aimait pas tellement, non, qu'on le contredise).

A M. Leguen, Monsieur expliqua qu'il avait réfléchi et que la chambre, en fait, ne lui convenait pas. Il était tout à fait désolé. Une autre fois, peut-être. Il sortit son carnet de chèques et, prévenant toute discussion, décapuchonna son rötring pour régler un mois de loyer. Puis, appelant un taxi, il fit descendre ses valises par Ludovic, à qui il souhaita bonne chance dans la vie en général et pour son interro en particulier.

De retour chez lui, au moment où Monsieur s'apprêtait à ouvrir la porte, Kaltz apparut et, voyant Monsieur sur le palier, lui dit qu'il tombait bien car il venait chez lui. Il avait, en effet, rédigé une petite note d'introduction à son traité, deux fois rien, disait-il, mais il serait heureux de lui en faire part et, avant que Monsieur n'eût le temps de dire quoi que ce soit, allumant la minuterie du palier, il commença à lire. Notre ambition, dit-il, en aucune manière, ne sera de tâcher à présenter dans ce court traité une vue exhaustive de la question que nous nous proposons d'aborder. Notre ambition, plutôt, sera de présenter au lecteur une manière d'itinéraire qui, au gré de nos goûts propres, nous le fera guider — et nous l'espérons, instruire — d'une manière que nous revendiquons : subjective. Très bien, très bien, dit Monsieur, et il rentra chez lui, en laissant Kaltz sur le palier.

Pendant quelques jours, ensuite, Monsieur tâcha d'éviter Kaltz.

Le matin, après le petit déjeuner, lorsqu'il faisait beau et qu'il ne travaillait pas, il sortait de l'appartement et montait jusqu'au dernier étage pour aller se promener. Les toits étaient irréprochables, de l'avis de Monsieur, presque plats, reliés les uns aux autres par des passerelles métalliques. Lorsque, sa promenade terminée, Monsieur redescendait dans l'appartement, il refermait la porte derrière lui sans faire de bruit pour ne pas attirer l'attention de Kaltz.

87

Lors de ses promenades, limitées il est vrai à un tout petit périmètre, la seule personne qu'il arrivait à Monsieur de croiser, à part, un jour, un voisin installant une antenne parabolique qui interrompit un instant son travail pour le regarder passer, était un homme d'une cinquantaine d'années, les cheveux grisonnants, vêtu d'un costume en velours vert un peu passé, qui, un sac en plastique à la main, marchait lentement en semblant peser mentalement le pour du contre. Monsieur le croisait à distance, en général, car il se méfiait un peu, à vrai dire, de ce genre de types.

Monsieur, parfois, pour améliorer son ordinaire, emportait une chaise avec lui pour se rendre sur le toit. Arrivé au cinquième étage, il s'engageait dehors, puis, s'accroupissant à côté de la trappe, récupérait sa chaise et allait se placer un peu à l'écart, sur une plate-forme qui jouxtait la façade. Il s'installait à l'abri de l'auvent, et restait assis là, tranquille, sous la batière.

Monsieur, plus que jamais, était maintenant toujours en train d'être assis sur une chaise. Il ne demandait pas davantage à la vie, Monsieur, une chaise. Là, entre deux réticences, il tâchait de se réfugier dans la pratique apaisante de gestes simples. Lorsque au travail, par exemple (le poste était bonnard), il épluchait une orange sur son bureau, son mouchoir froissé bien à plat sur la table, il faisait l'admiration des secrétaires. De Monsieur, au seizième étage, personne n'avait à se plaindre. Mme Dubois-Lacour trouvait que c'était un jeune remarquable, ce Monsieur, centralien, calme, sérieux, ponctuel.

Au bureau, pendant les heures calmes, Monsieur descendait lire son journal à la cafétéria. En face de lui dans le grand hall de verre, çà et là, étaient des jardinières de plantes vertes, benjamina ou papyrus ; quelques hôtesses d'accueil, dans un autre genre, se servaient du téléphone derrière un comptoir circulaire. Souvent, avant de remonter dans son bureau, Monsieur, contournant leur comptoir, bonjour mesdemoiselles, passait quelques instants debout devant l'aquarium et regardait les poissons les mains dans les poches, ne se lassant pas de contempler l'inaccessible pureté des trajectoires qu'ils traçaient avec indifférence.

Monsieur arrivait maintenant, mais n'en tirait qu'une fierté passagère chaque fois qu'il y parvenait, à remonter dans son bureau sans ôter les mains de ses poches. Il patientait le temps qu'il fallait devant l'aquarium, les mains dans les poches, attendant que quelqu'un se présentât pour appeler l'ascenseur. Puis, dès que les portes automatiques s'ouvraient à côté de lui, il entrait le premier dans la cabine et se plaçait tout au fond, dans l'angle droit, le plus loin possible des boutons de commande. Là, adoptant un profil bas, il attendait qu'on lui demande à quel étage il désirait se rendre et, rien de plus simple, à voix basse, l'indiquait.

Dans son bureau, Monsieur œuvrait en général

à s'efforcer de garder les yeux baissés, et même fermés parfois, *fiat lux* quand il se trouvait seul. Si, au cours de la conversation, un désaccord devait se manifester avec quelqu'un, il essayait de ne pas faire de vagues, Monsieur, se contentant de trouver satisfaction à être le seul en mesure de savourer son silence à sa meilleure appréciation. Ses interlocuteurs, du reste, l'aimaient assez ; quelques-uns, sans pour autant se soulever de leur siège pour lui jeter des fleurs, croyaient même pouvoir le trouver sympathique, à cause d'une certaine façon qu'il avait de sourire à l'économie, pour ne pas ternir son image d'homme de dialogue.

Sur la table de travail de Monsieur, au bureau, bien rangés, se trouvaient un grand nombre d'objets, coupe-papier, taille-crayon, calculette.

L'air conditionné, aussi.

Parfois, entrant dans son bureau à l'improviste, Dubois-Lacour demandait à Monsieur si il ne pouvait pas recevoir les concessionnaires à sa place car, devant s'absenter, elle n'aurait sans doute pas le temps, disait-elle, de les briefer elle-même. Monsieur disait que oui, bien sûr, si cela pouvait rendre service, et demandait s'il fallait les briefer ensemble ou séparément. Choisissant en général de les recevoir ensemble, Monsieur, avant de devoir les affronter, faisait quelques pas dans son bureau les mains jointes sous le menton pour se concentrer. Puis, entrouvrant la porte, il allait rapidement se rasseoir tandis qu'entraient une dizaine de types qui, s'intercalant, se plaçaient en arc de cercle autour de son bureau pour l'écouter. Bien, bien, d'autres questions, messieurs ? disait Monsieur au moment de lever la séance. Non. Et madame ? ajoutait-il en inclinant la tête avec respect à l'adresse de la seule femme présente, pas mal du reste, enfin faut voir. Les gens, tout de même.

Un soir, après le dîner, Monsieur monta sur le toit — et s'éloigna tranquillement de tout, sa chaise à la main.

92

Il faisait nuit, maintenant, Monsieur ne s'y trompait pas. Le jour, sur Paris, était tombé. La pluie aussi, apparemment, un peu plus tôt, car les toits étaient gris, luisants, ils glissaient légèrement. Au loin, des fenêtres étaient éclairées, les rues en contrebas semblaient désertes. Posant sa chaise au bord de la corniche, il sortit son briquet de sa poche et, levant la tête en allumant une cigarette, considéra le ciel au hasard, pur et dégagé par l'averse, dans les parages d'Orion. Debout à côté de la chaise, Monsieur resta longtemps ainsi à regarder le ciel, et, à mesure qu'il s'en pénétrait, ne distinguant plus maintenant qu'un réseau de points et les lignes des constellations, le ciel devint dans son esprit un gigantesque plan de métro illuminant la nuit. Alors il s'assit et, partant de Sirius qu'il repérait sans peine, il évolua du regard vers Montparnasse-Bienvenüe, descendit jusqu'à Sèvres-Babylone et, s'attardant un instant sur Bételgeuse, arriva à l'Odéon, où il voulait en venir.

93

Là, dans son esprit, régnait toujours la même lumière de nuit.

D'Anna Bruckhardt, en fait, Monsieur ne savait presque rien. Il ne l'avait rencontrée qu'une seule fois, lors d'une réception donnée chez les Dubois-Lacour. Ils avaient parlé deux heures ensemble, à peine davantage, en fin de soirée, assis dans la cuisine parmi les verres vides, de chaque côté de la table, mangeant de temps à autre, elle une fine tranche de gâteau au chocolat qu'elle découpait méticuleusement avec un couteau, et Monsieur une grande cuillerée de salade composée, dont il ôtait préalablement les noix, fruit qu'il a toujours trouvé personnellement dégueulasse. Parfois, Dubois-Lacour faisait une apparition rapide dans la cuisine pour prendre une bouteille de champagne dans le réfrigérateur. Ils ne s'occupaient pas d'elle, Anna Bruckhardt et Monsieur, continuant tranquillement à parler de choses et d'autres, sans se poser de questions naturellement, par discrétion, de sorte que, de toute la soirée, ils n'avaient pas échangé la moindre information se concernant. Non, ils se racontaient des anecdotes, plutôt, à chacun leur tour, qui, à mesure qu'ils les accumulaient, devenaient de plus en plus insignifiantes, se rapportant à des gens que l'autre ne connaissait pas et que, eux, ils connaissaient à peine. De temps à autre, quelque invité, un verre à la main, entrait dans la cuisine pour voir ce qui s'y passait et, comme il ne s'y passait rien, après être resté quelques instants en vain à côté de la table, repartait comme il était venu, son verre à la main. Ainsi, loin des bruits de la fête et des rythmes brésiliens, Anna Bruckhardt et Monsieur, devenus complices, par le regard du moins, rien n'échappait aux yeux baissés de Monsieur, ne se lassaient pas de se raconter des anecdotes, se faisant part, les coudes sur la table, de petits faits compliqués qui ne les concernaient pas. Anna Bruckhardt était, du reste, en train d'emporter Monsieur dans une anecdote particulièrement peu édifiante qui les mettait en joie quand ils furent rejoints dans la cuisine par un groupe d'invités qui, sans leur adresser la parole, prit des chaises autour de la table et alla s'installer un peu à l'écart, à côté de la fenêtre, en se munissant d'une pile d'assiettes et de la salade de fruits. Là,

entre deux bouchées, ils entreprirent de se raconter leurs vacances en Egypte, regrettant assez vite
de ne pouvoir associer leurs diapositives aux
descriptions qu'ils firent des paysages grandio-
ses, parfois irréels (les gens, tout de même).
Anna Bruckhardt et Monsieur, au bout d'un
moment, finirent par se résoudre à se lever, et
quittèrent la cuisine. Ils restèrent un instant dans
le couloir, échangeant une dernière anecdote
dans le noir, et puis ils se turent, ils se turent tout
à fait, immobiles, se regardant avec tristesse dans
les yeux, Monsieur adossé au mur, et elle en face
de lui, une main sur son épaule.


Ce fut tout.


Autour de Monsieur, maintenant, c'était
comme la nuit même. Immobile sur sa chaise, la
tête renversée en arrière, il mêla de nouveau son
regard à l'étendue des cieux, l'esprit tendu vers
la courbure des horizons. Respirant paisiblement, il parcourait toute la nuit de la pensée,
toute, loin dans la mémoire de l'univers, jusqu'au

rayonnement du fond du ciel. Atteignant là l'ataraxie, nulle pensée ne se mut plus alors dans l'esprit de Monsieur, mais son esprit était le monde — qu'il avait convoqué.

Oui. Il allait se gêner, Monsieur.

Au bout d'un moment, commençant à avoir un peu froid peut-être, ce qui lui paraissait extravagant, il se résolut à se lever et, redressant le col de sa veste, revint sur ses pas, songeur, en traînant sa chaise derrière lui sous la nuit. Arrivé à la trappe, il l'ouvrit et, s'agenouillant de mauvaise grâce sur le toit, il n'y avait guère d'autre solution, fit lentement descendre sa chaise à la verticale. Lorsqu'elle fut bien d'aplomb sur le sol, pivotant en gardant les mains en appui sur le rebord, Monsieur se laissa glisser dans le vide jusqu'à la chaise. Puis, refermant la trappe, il s'épousseta les manches, renoua sa cravate.

Tandis qu'ayant quitté la soirée des Dubois-

Lacour, Monsieur raccompagnait Anna Bruck-hardt à une station de taxi, il se demandait, marchant à côté d'elle dans les rues désertes, si il ne pourrait pas, au gré de la conversation, sortir une main de sa poche, considérer sa paume avec recul et, prolongeant éventuellement le mouve-ment, lui prendre le bras, négligemment, pour traverser la rue. Ils marchaient côte à côte et, regardant autour de lui à la dérobée, Monsieur guettait une rue. Il n'en trouva pas vraiment, et Anna Bruckhardt, se dressant sur la pointe des pieds, finit par héler un taxi avec un naturel qu'il lui envia.

Monsieur, ensuite, se rendant dans sa cham-bre, téléph'ona à Anna Bruckhardt pour lui dire qu'il avait envie de dîner avec elle.

Le soir même.

Il y avait une lumière de nuit sur la place de l'Odéon. De sa première rencontre avec Anna Bruckhardt, un mois plus tôt, Monsieur se souvenait de cet instant avec une précision de douleur, une lumière de nuit sur la place de l'Odéon. A intervalles réguliers, les feux de signalisation s'inversaient et modifiaient les perspectives. Des rideaux de fer, en face de lui, recouvraient les devantures des magasins, les cinémas étaient fermés. Monsieur était debout sur le terre-plein de la place ; un homme s'engageait dans une rue adjacente, un couple traversait le passage clouté. Il était deux heures du matin, peut-être trois — et Monsieur avait laissé Anna Bruckhardt dans un taxi quelques instants plus tôt.

Anna Bruckhardt ne put se libérer le soir même, mais le lendemain ils dînèrent. Ils s'étaient donné rendez-vous dans le bar d'un grand hôtel. Monsieur était arrivé en avance et, assis dans un large fauteuil bas, regardait les consommateurs autour de lui, peu nombreux, dont les visages prenaient des teintes pâles sous les éclairages tamisés de la salle. L'endroit était confortable. Des hommes d'âge mûr prenaient là l'apéritif, picoraient des olives, des cacahuètes.

Certains lisaient le journal; d'autres, accompagnés de dames, demeuraient silencieux, confortablement assis. L'un d'eux, de temps à autre, regardait paisiblement autour de lui et buvait une petite gorgée de son apéritif. Un disque, derrière le bar, tournait lentement sur la platine de la chaîne stéréo, diffusant en sourdine un concerto pour flûte et harpe.

N'ayant pas trouvé de taxi, Monsieur était arrivé en métro au rendez-vous. Un jeune homme, à la station Franklin-Roosevelt, était monté dans son compartiment, qui lui demanda immédiatement, assez nerveux, si le strapontin voisin du sien était libre; Monsieur regarda ledit strapontin, qui était libre en effet, il était difficile de le nier. Le jeune homme s'assit à côté de lui, releva le col de son caban. Monsieur se décala un peu. Le métro pénétra dans le tunnel, et ils voyagèrent côte à côte, Monsieur regardant par la vitre, et lui par terre, les chaussures neuves de Monsieur. A la station suivante, le jeune homme descendit précipitamment en laissant sa valise, qu'un voyageur, aussitôt, bousculant presque

Monsieur, s'empressa de jeter sur le quai. C'est très curieux, en effet, lui dit Anna Bruckhardt, et elle enleva son manteau, n'ayant pas encore eu le temps de le faire car, dès son arrivée, Monsieur avait entrepris de lui raconter son anecdote.

Monsieur, un puits d'anecdotes.

Autour d'eux, maintenant, le bar de l'hôtel était plus animé. Le serveur, qui jusqu'à présent les avait ignorés, vint leur demander ce qu'ils désiraient, et ils prirent deux bourbons. En attendant les consommations, ils gardèrent le silence, un peu gênés l'un et l'autre, échangeant de temps à autre un regard. Le garçon, finalement, vint leur apporter les whiskies, disposa sur la table une soucoupe de cacahuètes. Se penchant à l'occasion en avant pour prendre une cacahuète, Anna Bruckhardt et Monsieur, toujours aussi silencieux, regardaient la décoration des murs, examinaient la carte. Monsieur aurait pu certes, et il l'envisageait, ranimer la conservation en se lançant dans une nouvelle anecdote.

101

Dans le taxi qui les menait au restaurant, après une assez longue période de silence, où, assis l'un à côté de l'autre sur la banquette arrière, ils regardaient dehors par leurs vitres respectives, ils se mirent vaguement à parler peinture, littérature. C'est encore un des rares trucs qui lui aurait bien plu, ça, à Monsieur, peintre, comme parent d'élève du reste, dans le genre tranquille, une réunion par trimestre, ou écrivain, encore qu'aux mots il lui confia qu'il préférait la lumière (c'était peut-être là son côté ouvert, oui, tourné vers la vie). Et puis, comme le faisait remarquer fort à propos Anna Bruckhardt — à propos de quoi, Monsieur ne savait pas très bien, mais cela n'avait pas beaucoup d'importance — l'un n'empêchait pas l'autre. C'est sûr, dit-il. Puis, comme le taxi s'éternisait dans les embouteillages, ils en vinrent à échanger des informations plus personnelles, un peu au hasard, de façon décousue. Ainsi, par exemple, apprirent-ils qu'ils avaient vingt-neuf et trente-quatre ans, tandis que le chauffeur de taxi, pour sa part, en avait quarante-sept.

C'était Anna Bruckhardt qui avait choisi le restaurant, et quand, poussant la porte vitrée de l'entrée, elle se retourna pour lui dire que c'était son restaurant préféré, Monsieur y vit le signe qu'il avait déjà acquis un certain succès d'estime dans le cœur d'Anna Bruckhardt. Avant de la suivre dans la salle, il s'assura qu'il avait des cigarettes et, tandis que le maître d'hôtel invitait Anna Bruckhardt à prendre place, Monsieur, la rejoignant une seule main dans la poche, avec beaucoup d'aisance, s'assit à côté d'elle. Il s'aperçut alors, en relevant les yeux vers le maître d'hôtel, que c'était plutôt la place vis-à-vis qui lui était destinée. Il se releva, discrètement, et, tirant sur le pli de son pantalon, fit le tour de la table pour aller prendre place en face d'Anna Bruckhardt, qui le suivait des yeux d'un air un peu préoccupé. Au bout d'un moment, on vint leur présenter les cartes. Monsieur, assez mal à l'aise, tournait la tête chaque fois que la porte s'ouvrait derrière lui et, opérant une légère rotation sur sa chaise, regardait distraitement les nouveaux arrivants. Pom, pom. Il referma sa carte et, se penchant par-dessus la table, confia à voix basse à Anna Bruckhardt qu'il avait remarqué qu'il y avait du saumon et que, pour ne rien lui cacher, il s'en prendrait bien un à l'oseille. D'autres anecdotes ? dit-elle, et, souriant, elle opta, elle, pour le loup au fenouil.

Monsieur, la tête baissée, mangeait son poisson en silence, regardant parfois dehors la petite place qu'éclairaient çà et là des réverbères. Leur table, située dans une terrasse couverte isolée par des parois vitrées, donnait sur les colonnes de l'entrée du théâtre du petit Odéon. C'était un restaurant calme, agréable même, auquel Monsieur ne pouvait reprocher qu'une seule chose, qu'il donnât sur la rue précisément, dans la mesure où des passants, parfois, s'arrêtaient derrière la vitre pour le regarder manger. Anna Bruckhardt, elle, beaucoup plus discrète, ne faisait pas tant de cas de sa présence; elle mangeait avec élégance en face de lui, calmement, prenant son temps pour détacher d'un geste lent les filets de son poisson. Elle était belle, ainsi, vêtue d'un chemisier blanc et d'une veste en daim. Sur le haut du front, elle avait un petit bouton de chaleur, adorable, qui avait sûrement

dû la rendre honteuse quand elle s'était préparée
pour la soirée.

Il n'y avait pas beaucoup de clients dans le
restaurant, cinq tables tout au plus étaient occu-
pées autour d'eux. A la table voisine, une jeune
femme écoutait son amant, un médecin selon
toute vraisemblance, à moins que cela ne fût son
mari, qui l'entretenait de la question des mères
de substitution, importante question, disait-il,
face à laquelle deux types de réactions sont
enregistrées. De quel droit, en effet, disent les
uns, dit-il en posant ses couverts, la société
s'opposerait-elle à la demande d'un couple ar-
demment désireux d'avoir un enfant si ce couple
juge que le moyen proposé est approprié et si la
mère de substitution y consent librement ? Il
reprit ses couverts et mangea une bouchée, songeur, quand toutes les lumières s'éteignirent à la
fois dans le restaurant.

Tiens. Monsieur releva la tête, tâcha de distinguer Anna Bruckhardt en face de lui dans la

pénombre. Dans la salle, les gens avaient cessé de manger, certains se retournaient. Le médecin fut le seul à risquer quelques applaudissements, avec retenue certes, bien droit sur sa chaise, et enchaîna ensuite sur ses mères de substitution, poursuivant ses explications en baissant la voix toutefois, comme s'il était nécessaire de chuchoter sous prétexte qu'il fît sombre. De fait, il faisait très sombre. Non seulement toute la salle était plongée dans le noir, mais dehors il n'y avait plus une lumière. Seules quelques façades, sur la place, aux ombres plus prononcées, ressortaient quelque peu de l'obscurité. Dans la rue, on ne distinguait plus de passants, tous les réverbères étaient éteints. Bientôt, le maître d'hôtel, qui paraissait n'avoir rien remarqué, du reste, tant son attitude était demeurée égale, calme et posée, vint annoncer que l'on préparait des bougies. Puis, comme si cela ne suffisait pas, au bout d'un moment, il revint pour annoncer que l'on demandait M. Lacoste au téléphone. Une ombre, au fond de la salle, se leva à tâtons parmi les tables et, se guidant dans le noir à la lueur de son briquet, s'éloigna vers les profondeurs du restaurant.

106

Monsieur, le visage collé contre la vitre, tâchait de distinguer quelque chose dehors. Tout, pourtant, demeurait noir, les façades restaient sombres, dressées d'un seul bloc dans la nuit. Au coin de la rue, quelques passants arrêtés avaient allumé un briquet et d'autres personnes venaient progressivement se joindre au groupe. Une voiture, aussi, passait de temps à autre, dont les phares traçaient de longues traînées obliques sur le sol. Puis tout redevenait sombre. On prend quand même un dessert ? dit-il, ou je demande l'addition. Au moment où on leur porta l'addition, Monsieur demanda à Anna Bruckhardt si elle désirait qu'il l'invite ou si elle préférait partager. Anna Bruckhardt n'avait pas de préférence. Après quelques instants de réflexion, Monsieur lui confia qu'il n'avait aucune idée de ce qu'il convenait de faire dans ces cas-là. Anna Bruckhardt, le rassurant, lui dit qu'il n'y avait pas de règle en la matière.

Parfait. Dans ce cas-là, c'était devenu tout à fait insoluble. Qu'est-ce qu'on fait, alors ? dit

Monsieur et, baissant la tête, il se plongea dans la contemplation de ses doigts dans l'obscurité. Anna Bruckhardt, qui commençait à sourire de sa perplexité, lui répéta que c'était vraiment comme il voulait. Finalement, proposant de couper la poire en deux, Monsieur, ne s'en sortant pas, suggéra de diviser l'addition en quatre et de payer lui-même trois parts (c'est le plus simple, dit-il, d'une assez grande élégance mathématique en tout cas).

Lorsque, sortant du restaurant, ils commencèrent à remonter vers les jardins du Luxembourg, ils purent se rendre compte que la panne s'étendait apparemment à tout le quartier, et peut-être même au-delà, ils ne pouvaient savoir. Les rues, si calmes sur leur passage, étaient sombres comme jamais ; rien ne venait plus altérer la nuit. Devant le Sénat, les grilles du Luxembourg semblaient une herse d'un noir intense. Il y avait plus de vingt minutes, maintenant, que l'électricité avait été coupée, et, marchant l'un derrière l'autre, Anna Bruckhardt et Monsieur échangeaient quelques considérations sur les conséquences de la panne, eurent une pensée amicale pour les gens coincés dans un ascenseur (les gens, tout de même). S'étant vu légèrement distancé par Anna Bruckhardt, Monsieur se trouvait à présent à quelques longueurs derrière elle et, les mains dans les poches, marchait la tête levée, en regardant le ciel.

Le ciel intact maintenant, loin des lumières parasites de la ville.

Arrivés à la place Saint-Sulpice, ils prirent place sur un banc, et restèrent longtemps assis l'un à côté de l'autre, dans un silence exemplaire. Une vue de l'esprit, dit Monsieur au bout d'un moment, une vue de l'esprit. Pardon ? dit Anna Bruckhardt, un peu surprise par sa soudaine loquacité. Non, rien, dit Monsieur. Mais si, mais si, dit Anna Bruckhardt. Le regard, dit Monsieur. Une vue de l'esprit, oui. De l'avis de la science, du moins, ajouta-t-il par honnêteté, incluant d'un geste vague de la main l'interprétation de Copenhague et tutti quanta. Selon Prigogine, en effet, la théorie des quanta détruit la conviction que la description physique est réaliste et que son langage peut représenter les propriétés d'un système indépendamment des conditions d'observation. Bien, bien. A côté de lui sur le banc, en évidence, était posée la main d'Anna Bruckhardt.

Regardant discrètement la main d'Anna Bruckhardt pendant quelques instants, Monsieur, les yeux baissés, finit par lui soulever un doigt, prudemment, puis un deuxième, et finalement lui prit la main entière.

Il resta quelques instants ainsi, Monsieur, avec la main d'Anna Bruckhardt dans la sienne, puis, ne sachant qu'en faire, il la reposa sur le banc, délicatement. Bon, on y va, dit-il. Ils se levèrent et se remirent en route. Dans les appartements du boulevard Saint-Germain, çà et là, des ombres se déplaçaient derrière les rideaux de tulle. Il y avait des gens accoudés aux fenêtres, une bougie derrière eux, qui regardaient la rue. Ils marchèrent en ne parlant presque plus, Anna Bruckhardt et Monsieur, marchèrent encore.

Et ce fut la nuit même sur la place de l'Odéon. S'arrêtant sur la place, Monsieur, la tête levée, tendit le bras en direction du ciel et suivit lentement du doigt la ligne Sirius-Aldébaran en expliquant à Anna Bruckhardt que l'Odéon dans son esprit était cet astre-là, Aldébaran. Lequel ? dit Anna Bruckhardt. Là, dit Monsieur, sous le A retourné, l'étoile presque orange. Non, je ne vois pas, dit Anna Bruckhardt, qui n'écoutait pas vraiment, du reste, en continuant de scruter le ciel à côté de lui. Tant pis, dit Monsieur, nous y sommes, et, sortant son briquet de sa poche, il l'alluma entre leurs visages. Ils se regardèrent avec tristesse dans les yeux. Anna Bruckhardt lui toucha la joue, alors, doucement, l'embrassa dans la nuit. Hip, hop. Et voilà, ce ne fut pas plus difficile que ça.

La vie, pour Monsieur, un jeu d'enfant.

ST. PAUL'S SCHOOL LIBRARY
LONSDALE ROAD, SW13 9JT

CET OUVRAGE A ÉTÉ ACHEVÉ D'IMPRIMER
LE VINGT ET UN AOÛT MIL NEUF CENT
QUATRE-VINGT-DOUZE DANS LES ATELIERS
DE NORMANDIE ROTO IMPRESSION S.A.
À LONRAI (61250)
N° D'ÉDITEUR : 2756
N° D'IMPRIMEUR : I2-1507

Dépôt légal : août 1992